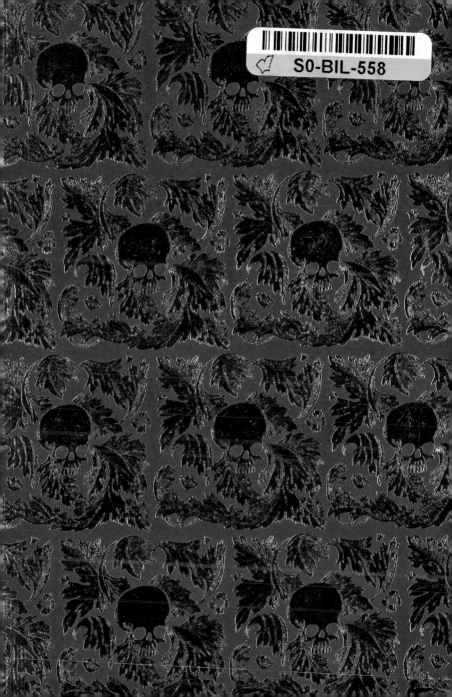

Para Morwenna

Segunda edición: enero 2015

Título original: *Goth Girl and the Ghost of a Mouse*

Publicado por primera vez por MacMillan Children´s Books,
Londres, 2013

© Chris Riddell, 2013
© De esta edición: Grupo Editorial Luis Vives, 2014

ISBN: 978-84-263-9179-7
Depósito legal: Z 344-2014

IMPRESIÓN
Edelvives Talleres Gráficos. Certificado ISO 9001
Impreso en Zaragoza, España

Ada Goth

y el fantasma del ratón

CHRIS RIDDELL

Traducido por Elena Gallo Krahe
y Pepa Arbelo

ESTE LIBRO INCLUYE NOTAS DE PIE DE PÁGINA
REDACTADAS POR EL PIE CERCENADO DE UN FAMOSO
ESCRITOR QUE PERDIÓ EL SUSODICHO PIE EN LA
BATALLA DE BADEN-BADEN-WÜRTTEMBERG-BADEN.

Capítulo uno

Ada Goth se incorporó en su cama de ocho postes y trató de vislumbrar en medio de la oscuridad.

Allí estaba otra vez.

Un gemido suave y triste que terminaba con un leve chillido.

La niña miró más allá de los postes, candelabro en mano, y salió de la cama.

—¿Quién anda ahí? —preguntó en un susurro.

Ada era la única hija de Lord Goth, el célebre poeta ciclista y propietario del Palacete Nebroso. Su madre había sido una hermosa funámbula de Tesalónica; Lord Goth la había conocido durante uno de sus viajes y se habían casado. La desgracia, sin embargo, quiso que en una noche de tormenta, siendo Ada muy pequeña, Parténope muriera mientras caminaba sobre la cuerda floja en los tejados del Palacete Nebroso.

Lord Goth jamás se refería a aquel fatídico suceso. Tampoco salía nunca de su enorme mansión. Vivía encerrado en su despacho, donde componía larguísimos poemas. Cuando no escribía, recorría la finca a lomos de *Pegaso*, su caballo de ruedas, y se entretenía disparando a los enanitos de jardín con un trabuco. No tardó en forjarse una reputación de hombre loco, malo y peligroso…, sobre todo para los enanitos de jardín.

Desde el accidente de su mujer, a Lord Goth se le había metido en la cabeza la idea de que a los niños solo había que oírlos, pero no verlos. Insistió en que Ada caminara con unas botazas atronadoras cuando deambulara por los corredores del Palacete Nebroso. De esa forma, podía oír sus pasos cuando se acercaba. Siempre la esquivaba al percibir el eco de

LORD GOTH

sus pisadas, y se encerraba
en su despacho, donde nadie
debía importunarlo.

Esto significaba que Ada
rara vez veía a su padre, y eso
la entristecía; pero era compren-
siva. Tomaban el té en la gran
galería una vez por semana. Cuando
coincidían sus miradas, Ada notaba
cómo le cambiaba la expresión a Lord Goth.
Al ver la profunda tristeza que impregnaba sus
ojos, Ada sabía que estaba recordando a su esposa,
Parténope, la hermosa equilibrista. La niña, con el pelo
negro y rizado y los ojos verdes, era su vivo retrato.
Lo sabía porque había heredado un guardapelo
con un retrato en miniatura de Parténope.

—¿Quién anda ahí? —susurró Ada, un poco más
alto esta vez.

—Yo —respondió una vocecilla entre las sombras.

Ada se puso las zapatillas negras de charol que tenía
junto a la cama. Eran las zapatillas de funambulismo
de su madre. Le quedaban un poco grandes, pero eran

muy cómodas y —mejor aún— muy silenciosas.

A Ada le gustaba ponérselas para rondar a hurtadillas por el Palacete Nebroso. Explorar era su pasatiempo favorito, sobre todo de noche, cuando todo el mundo estaba durmiendo.

Porque, aunque había vivido allí toda su vida, la mansión era tan grande que todavía quedaban habitaciones a las que nunca había entrado y edificios anexos escondidos en zonas abandonadas de la finca que todavía tenía que explorar.

Ada caminó sobre la descolorida alfombra de Anatolia sujetando el candelabro. En el centro, sobre un desvaído parche, descubrió una figurita blanca, temblorosa y algo traslúcida.

La niña se quedó atónita.

—¡Eres un ratón! —exclamó.

El ratoncillo emitió un pálido destello y lanzó otro suspiro con final de chillido.

—Lo fui —respondió meneando la cabeza—. Pero ahora soy un fantasma de ratón.

Como era tan antiguo, el Palacete Nebroso tenía como inquilinos a unos cuantos espectros.

PALACETE NEBROSO

JARDÍN AÚN
MÁS SECRETO

JARDÍN
SECRETO

PARTE TRASERA
DEL JARDÍN
DE MÁS ALLÁ
(INACABADO)

VIEJO
DEPÓSITO
DE HIELO

ALA ROTA

ESTABLOS
INESTABLES

ESTABLOS DE
CABALLOS
DE RUEDAS

JARDÍN DE
ROCA CON
ENANITOS
ALPINOS

TERRAZA
VENECIANA

ALA OEST...

N
E
S

AVENIDA DE LA INSULTANTE FORTUNA

HIPÓDROMO PARA
CABALLOS DE RUEDAS
DE METAFÓRICO SMITH

PANTANO
DEL
DESALIENTO

CAMINO DE GRAVA DE LA VANIDAD

ESTANQUE
DE LA
INTROSPECCIÓN

Estaban la Monja Blanca, que a veces vagaba en la gran galería durante las noches de luna; el Monje Negro, que rondaba de vez en cuando la pequeña galería, y el Presbítero Beis, que bajaba deslizándose por la barandilla de la gran escalinata el primer martes de cada mes.

Normalmente se limitaban a mascullar, a gemir en voz baja o, en el caso del presbítero, a cantar con una voz chillona y ceceante. Pero nunca decían nada en concreto, a diferencia del ratón.

—¿Hace mucho que eres fantasma? —preguntó Ada, que dejó el candelabro en el suelo y se sentó con las piernas cruzadas en la alfombra.

—Creo que no —respondió el espectral ratón—. Lo último que recuerdo es que estaba correteando por el pasillo de una zona de la mansión en la que nunca había estado. Era un lugar polvoriento y lleno de telarañas. —El ratón, envuelto en una tenue aureola, brillaba a la luz del candelabro—. Volvía de visitar a una musaraña amiga en el jardín y me desorienté. Vivo en una ratonera muy acogedora en el rodapié del despacho de Lord Goth... Bueno, vivía...

El ratón hizo una pausa, soltó otro pequeño suspiro, miró a Ada y cambió de tema.

—Tú debes de ser su hija —supuso—, la pequeña Goth. La que va dando pisotones con esas botas tan grandullonas.

—Así es. Me llamo Ada —replicó la niña cortésmente—. ¿Y tú?

—Llámame Ismael —contestó el fantasma de ratón—. El caso es que estaba caminando tranquilamente por la sombra, tratando de pasar desapercibido, cuando por el corredor llegó flotando un aroma delicioso, y, claro, no pude resistirme. Seguí a mi tembloroso hocico, que me condujo sin vacilar hasta un trozo de queso amarillo y con manchas azuladas que olía a calcetines de mozo de cuadra...

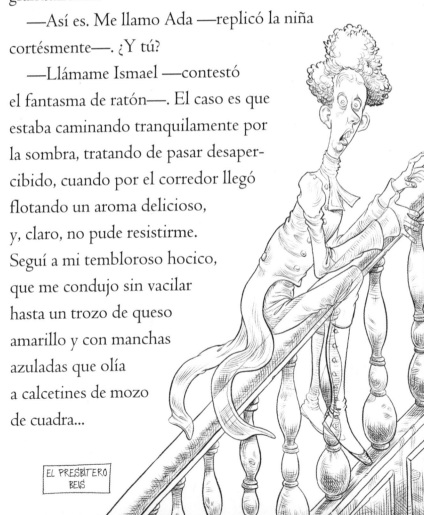

EL PRESBÍTERO BEIS

Ismael cerró los ojos y su cuerpo resplandeció de delectación.

—Debe de ser un trozo de O'Rendo Azul* —observó Ada.

La última vez que había mirado, Ada se encontró con varios quesos en la despensa de la cocina. No es que visitara ese espacio muy a menudo. La encargada era la señora Baten, una mujerona gruesa y chillona que asustaba más que cualquier fantasma. Se pasaba el tiempo inventando recetas y anotándolas en un enorme libro, mientras administraba enérgicas órdenes a sus ayudantas de cocina, que acababan llorando.

Sus platos eran complicadísimos, y comerlos entrañaba una gran dificultad, pues se necesitaban veintitrés cuchillos, tenedores y cucharas diferentes para el desayuno y la comida. La cena, como es de esperar requería aún más cubiertos. Su áspic de pezuña de rinoceronte y nutria marina asada con reducción de lágrimas

Pie de Página

*El O'Rendo Azul es uno de los quesos menos conocidos de Inglaterra. Se le considera, junto con el Puaj de Somerset, el Arcada de Bishop y el Baloliedte de Cheddar, uno de los exponentes más hediondos. A mí me huele a gloria.

de fregona era el plato favorito de Lord Goth.
Ada, sin embargo, prefería los huevos pasados
por agua, con picatostes.

—¿O'Rendo
Azul? —replicó
Ismael—. Ignoro
su denomina-
ción, pero olía
de maravilla.
Conseguí
hacerme con él
cuando... ¡ZAS!
De un momento
a otro, todo se
volvió negro.

—Ismael
se estre-
meció—.
Y lo
siguiente
que supe
es que yo

LA SEÑORA BATEN

ahora era blanco y transparente, y flotaba en el aire. Desde allí arriba podía contemplar mi cuerpo atrapado en una espantosa y cruel ratonera.

—¡Qué horror! —se compadeció Ada.

—No pude seguir mirando —replicó Ismael, apenado—, así que me fui de allí flotando; y, sin saber por qué, algo me atrajo hasta tu habitación...

—A lo mejor puedo ayudarte —propuso Ada, aunque en el fondo ignoraba si realmente podía hacer algo.

Ismael se encogió de hombros.

—No veo cómo. —Hizo una pausa—. A no ser...

—¿A no ser? —preguntó la niña.

—A no ser que vengas conmigo y quites la trampa —respondió el fantasma de ratón con los bigotes temblorosos—. Antes de que algún ratón inocente resulte malherido.

—Buena idea —admitió Ada.

La hija de Lord Goth siguió a Ismael. Salió del dormitorio, descendió por el pasillo, atravesó la gran galería y llegó a la escalinata. La luz de la luna entraba por los altos ventanales e iluminaba

los retratos de las paredes. Ada observó
que no había ni rastro de la Monja
Blanca, pero los ojos de los retratos
parecían seguirla cuando pasaba
de puntillas.

Entre ellos se veía el retrato del
primer Lord Goth, con un peinado
tipo tazón y una gorguera alechugada,
y el del tercer Lord Goth, que tenía
un lunar falso. El quinto Lord Goth,
con una peluca empolvada torcida
y una gran barriga, parecía tener muy
malas pulgas.

—Por aquí —indicó Ismael mientras bajaba flotando por las escaleras.

Ada echó un vistazo alrededor.
No se veía al Presbítero Beis por
ningún lado, de modo que se subió
a la barandilla y se deslizó en medio
de un gran «zuuum».

Al pie de la escalinata la esperaba
Ismael.

1.° LORD GOTH

2.° LORD GOTH

3.° LORD GOTH

4.° LORD GOTH

5.° LORD GOTH

—El pasillo estaba por allí, en alguna parte —dijo señalando el camino. Inmediatamente Ada notó un hormigueo en el estómago.

—El Ala Rota… —murmuró.

La mansión era verdaderamente gigantesca. Tenía un Ala Este, un vestíbulo central cubierto por una cúpula espléndida, un Ala Oeste y, en la parte trasera de la residencia, la parte más antigua del Palacete Nebroso: el Ala Rota.

Se llamaba así porque le hacían falta bastantes reparaciones. Pero no estaba muy expuesta a la vista, y era tal el batiburrillo de habitaciones desatendidas, cuartos de baño abandonados y dependencias descuidadas y llenas de trastos, que todos los Lords Goth habían olvidado esa zona y se habían dedicado a construir nuevos edificios adosados a las partes más visibles de la casa.

El cuarto Lord Goth había añadido la cúpula y más de cuatrocientas chimeneas ornamentales, y el quinto Lord Goth había construido el imponente pórtico de la parte frontal de la casa y las nuevas cocinas en el Ala Este.

METAFÓRICO SMITH

El padre de Ada, que era el sexto Lord Goth, se había establecido en el Ala Oeste, donde había añadido salitas de estar y bibliotecas, y caballerizas para sus caballos de ruedas. Había contratado al mejor arquitecto paisajista de la época, Metafórico Smith, para que diseñara los jardines del Palacete Nebroso con un sinfín de rincones sofisticados, como el jardín de roca poblado de mil enanitos de jardín alpinos, la fontana barroquísima y un hipódromo para caballos de ruedas que era el último grito.

VENUS DE GOTH

Ada e Ismael atravesaron el gran vestíbulo cubierto por la cúpula espléndida y cruzaron una portezuela que se hallaba medio oculta tras un tapiz. Los pasillos eran largos y tenebrosos y estaban llenos de telarañas; a ambos lados se alineaban decenas de puertas. La mayor parte de las habitaciones estaban vacías, con el papel de la pared desgarrado y los techos de escayola medio derruidos; pero algunas albergaban trastos viejos y olvidados, que eran los objetos preferidos de Ada.

En una habitación estaba expuesto el retrato de una dama de enigmática sonrisa. Otra albergaba una colección de jarrones decorados con motivos de dragones chinos, y en una tercera se alzaba la estatua de una diosa sin brazos.

Ismael se detuvo y señaló una puerta
de dos batientes con tiradores de bronce.

—¡Ahí! —exclamó con gran excitación.

La niña miró. Frente a la puerta descubrió
una ratonera con un trozo de O'Rendo Azul
a modo de reclamo. Ada se acercó de puntillas...

«¡Zas!».

La trampa se cerró de golpe. Ada se agachó
y la recogió. En ese momento, al otro lado
de la puerta, se oyó una voz conocida y antipática
que anunció con un susurro: «¡Ha picado otro!».

Los batientes empezaron a abrirse entre chirridos,
pero Ada ya había dado media
vuelta y había salido
pitando.

Capítulo dos

Ada no sabía cuánto tiempo llevaba corriendo, pero le pareció una insufrible eternidad.

Cuando por fin se detuvo y miró alrededor, no vio a Ismael por ningún lado. Había ido a parar a un pequeño pasillo que desembocaba en un patio, y salió a la luz de la luna.

Se hallaba en la parte trasera de la casa, donde los jardines lucían asilvestrados y descuidados. Había marañas de zarzas y brezos, matojos desaliñados y arbustos de enormes proporciones. En un pequeño letrero de madera se leía: «Parte Trasera del Jardín de Más Allá (inacabado)».

Hacía siglos que Ada quería explorar ese jardín, pero sus problemas con las institutrices se lo habían impedido. No es que se metiera en líos con ellas; de hecho, por lo general le gustaban, y hacía todo lo posible por portarse bien y ser obediente.

El problema eran las propias institutrices.

Eran enviadas por la Agencia de Institutrices Paranormales de Clerkenwell y parecían salir de la nada; solían presentarse uno o dos minutos después de que Lord Goth hiciera un comentario azaroso sobre lo mucho que Ada necesitaba una buena educación.

NO NOS BUSQUE... LE ENCONTRAREMOS.

Agencia de Institutrices
Paranormales
CLERKENWELL

La primera institutriz fue Morag Macfea. Venía de Escocia y tenía un solo diente y una gran verruga en la punta de la nariz. Su verruga, si bien incomodaba a sus interlocutores, la llenaba de orgullo.

Morag Macfea se llevó una gran decepción al descubrir que Ada no era difícil y que casi nunca

Morag Maclea

daba problemas. Tal fue su desencanto, que desarrolló una grave erupción cutánea y tuvo que volver a Inverness a recuperarse.

La siguiente en llegar fue Espialidosa Poppins. Tenía andares de pingüino y se arrancaba a cantar cada dos por tres. A Ada le caía bien, pero cuando Espialidosa descubrió que Ada no era tímida ni desdichada, se aburrió y se fugó con un deshollinador.

Espialidosa Poppins

Lo que ocurrió con Jane Oiré resultó todavía más decepcionante. Ada no tardó en sospechar que, en realidad, no le interesaba ser institutriz. Todo lo contrario; se pasaba el día haciendo té y llamando a la puerta del despacho de Lord Goth, que no tuvo más remedio que despedirla cuando trató de incendiar el Ala Oeste.

Jane Oiré

Después de aquello apareció Nanny Darling. En realidad era una agradable perrita pastora que se creía humana. La buena de Nanny Darling ladraba

sin parar porque estaba convencida
de que Ada iba a salir volando hacia
un lugar llamado Nunca Jamás. Un día
Lord Goth le dio un hueso de cordero
y ella se marchó.

Nanny Darling

Becky
Vanitas

Becky Vanitas, cómo ocultarlo,
constituyó un verdadero fiasco.
Tenía un pasado turbio y polémico.
Cuando intentó robar la vajilla de
plata, la señora Baten se vio obligada
a perseguirla por todo el Palacete
Nebroso con un cazo sopero.

Por último, Marianne Delacroix,
la institutriz llegada durante una noche de
tormenta. Venía de París y se consideraba
una revolucionaria. Ada aprendió muchas
cosas con ella. La nueva tutora le enseñó himnos
reivindicativos en francés, así como a hacer calceta
y a construir barricadas. Estaban trabajando
en un ambicioso proyecto de carpintería consistente
en la fabricación de un artilugio destinado a rebanar
cabezas de muñecas, cuando, un buen día, Marianne

Marianne
Delacroix

salió a la intemperie con una blusa de lo más ligera, pilló un fuerte resfriado y tuvo que marcharse.

Desde entonces, Lord Goth pareció descuidar por completo la educación de Ada. Para la niña fue mejor, pues ya había tenido su buena ración de institutrices.

La luna llena brillaba en la Parte Trasera del Jardín de Más Allá (inacabado), y Ada se propuso volver y explorarlo a la luz del día. Salió de allí y, cuando estaba a punto de tomar el sendero que llevaba al Ala Oeste para entrar por las ventanas bizantinas de la terraza veneciana, oyó un graznido agudo.

La niña miró hacia arriba. De lo más profundo del cielo nocturno y cayendo en picado, surgió un pájaro blanco de pico curvado y amarillo que llevaba en el pecho dos tiritas en forma de cruz. El ave planeó por encima de Ada y se posó en el tejado de un edificio de piedra medio derruido. Ada lo buscó con la mirada, pero el pájaro había desaparecido por un hueco que había entre las tejas.

—¡Que me aspen! —exclamó una vocecilla. Al mirar hacia abajo, Ada vio que Ismael se había aparecido a sus pies—. Si no me equivoco,

ese pájaro es un albatros viajero. Y bien lo sé —siguió explicando con tono melancólico—, puesto que yo era un ratón marinero...

—¿En serio? —preguntó Ada con curiosidad.

—Lo escribí en mis memorias —replicó Ismael, diminuto y plateado a la luz de la luna—. Acababa de ponerles el punto final cuando... —Miró fijamente la ratonera que Ada todavía llevaba en la mano— pasó lo que pasó.

Ada echó el brazo hacia atrás y arrojó la ratonera tan lejos como pudo, hacia la Parte Trasera del Jardín de Más Allá (inacabado).

—Gracias —dijo Ismael—. Ahora vamos a ver qué pinta un albatros en el viejo depósito de hielo.

—¿Ese es el viejo depósito? —preguntó Ada.

El nuevo depósito de hielo estaba situado en el huerto de la cocina, junto al Ala Oeste. Lord Goth lo había mandado construir para almacenar su hielo más fresco, que llegaba en barco desde la laguna Walden*, en Nueva Inglaterra. La señora Baten lo usaba para

Pie de Página

*La laguna Walden es en realidad un gran lago de Norteamérica que está atestado de casetas de playa y residencias veraniegas de poetas, filósofos y pensadores que coinciden allí para huir del mundanal ruido.

sus helados inclinados de Pisa y su sorbete de lengua
de pingüino.

—Sí. Mi amiga la musaraña vive en una tina
de agua en la puerta de al lado —explicó Ismael—.
Le gustan la paz y la tranquilidad.

Ada avanzó discretamente entre los hierbajos
y los perifollos salvajes y se acercó al viejo depósito.
Cuando llegó a la puerta, la encontró entreabierta.
Ismael entró primero y ella siguió sus pasos.

Dentro, todo estaba oscuro. Cuando sus ojos
se acostumbraron a la penumbra, descubrió que
el interior del viejo depósito de hielo era un enorme
almacén con el piso de piedra en desnivel.

En el suelo se amontonaban grandes bloques de hielo,
cada uno del tamaño de una caja de embalar. En lo alto
de la pila más alta de bloques, sentado cómodamente,
había un personaje gigantesco que llevaba un abrigo
de lona adornado con aparejos. En la cabeza lucía
un bicornio de capitán, y por calzado llevaba dos tablas
de madera extraídas de la cubierta de algún barco
y atadas a los pies con correas. El albatros de las tiritas
en forma de cruz estaba posado en su hombro.

El rostro del hombre era pálido
y cadavérico, cubierto de venas azules
que le atravesaban las sienes y las
mejillas, y una cicatriz en la frente
con escandalosos puntos de sutura.
Sus ojos, de córneas azuladas,
tenían un tono amarillento,
y sus labios y uñas eran
negruzcos.

Lord Goth solía invitar
visitantes extraños
e interesantes al Palacete
Nebroso, pero se
concentraba tanto en su
poesía que olvidaba a sus
visitantes con frecuencia.
Ada procuraba ser en todo
momento lo más educada
y amable que podía cuando
se encontraba con alguno
de los invitados
desatendidos

EL EXPLORADOR POLAR

de su padre, así que hizo una graciosa reverencia y se presentó:

—Buenas tardes, espero que esté disfrutando de una agradable estancia. Me llamo Ada; encantada de conocerle.

—El placer es mío —respondió el personaje quitándose el bicornio—. Permítame que me presente: soy el Monstruo de Mecklenburgo, pero mis amigos me llaman el Explorador Polar.

—¡Agua, agua por doquier! —graznó el albatros—. ¡Ni una gota que beber!

—Creo que nunca antes había conocido a ningún monstruo —confesó Ada, que hizo amago de sentarse en un bloque de hielo, pero finalmente cambió de opinión.

—No es de extrañar —replicó el Explorador Polar—. No somos muy numerosos, ¿sabe? Estamos mi exnovia, yo y..., bueno, nadie más. Me recogió un joven y brillante alumno de la Universidad de Mecklenburgo como parte de su proyecto de graduación; aspiraba al título de científico loco...

A Ada le dio la sensación de que el monstruo llevaba mucho tiempo sin hablar con nadie.

—¡Agua, agua por doquier! ¡Ni una gota que beber! —volvió a graznar el albatros.

El Explorador Polar prosiguió su historia sin hacerle caso al pájaro.

—Me fabricó a partir de retazos desperdigados en el campo de batalla de Baden-Baden-Württemberg-Baden. Tengo las piernas de un trompeta mayor, los brazos de un granadero, el tronco de un brigadier y la cabeza de un sargento de primera clase.

El Explorador Polar se alisó el pelo, lacio y sin vida, y se volvió a poner el bicornio antes de continuar.

—Me tuvieron macerando un mes, metido en una bañera de ungüento, y luego me trajeron

a la vida en plena tormenta —explicó con una sonrisa que dejaba ver su dentadura verde y pastosa—. Por desgracia, las cosas no empezaron lo que se dice muy bien... El perro de un carnicero se escapó con mi pie izquierdo, lo que enfureció sobremanera al estudiante. Era un perfeccionista.

Dijo que no podía entregarme en ese estado a su profesor y salió de clase hecho un energúmeno. ¡Se avergonzaba de mí! —De pronto, el monstruo pareció desconsolado y sus amarillentos ojos se inundaron de lágrimas—. Cuando el profesor le preguntó, mi creador se excusó aduciendo que un perro se había comido sus deberes.

—¡Pobrecito! —se compadeció Ada.

—Pero aprendí la lección —replicó el Explorador Polar dando palmaditas en un cofre de madera—. Ahora siempre llevo conmigo una pieza de recambio.

—Bajó la mirada—. Después, las cosas fueron de mal en peor, hasta que al final tuve que salir huyendo. Tomé prestado un barco y me fui al Polo Norte. Es un lugar encantador con un paisaje de ensueño, pero no había mucha gente con la que departir...

—¡Icebergs, icebergs por doquier! ¡Ni una gota que beber! —graznó el albatros.

—Supongo que conoce usted a mi padre, a Lord Goth —quiso saber Ada, tratando de ahogar un bostezo. El Explorador Polar era muy interesante, pero se había hecho tan tarde que incluso empezaba a ser temprano.

—Oh, no tengo el placer de conocer personalmente a Lord Goth —admitió el Explorador Polar—. Pero sí a Mary Cheli, la distinguida novelista, además de una gran confidente; igual que usted, señorita Goth.

—Por favor, llámeme Ada.

—De acuerdo, Ada —respondió el Explorador Polar dando unas palmaditas al albatros posado en su hombro—. *Coleridge*, que es muy curioso, encontró el mes pasado esta copia de *La Revista Literaria* en un barco abandonado.

LA REVISTA LITERARIA

O

EL PERIÓDICO ARTÍSTICO, CULTURAL, BIOGRÁFICO E HISTÓRICO

AGOSTO DE 1799 · NÚM. LXXXII

MARY CHELI,

DISTINGUIDA NOVELISTA, ASISTIRÁ

A LA GRAN FIESTA CAMPESTRE DE LORD GOTH,

DONDE, A SABER, PARTICIPARÁ CON OTROS EMINENTES INVITADOS EN

LA CARRERA DE VELOCÍPEDOS METAFÓRICOS,

EVENTO QUE TENDRÁ LUGAR A LO LARGO DE MEDIA MILLA A LOMOS DE DIVERSOS CABALLOS DE CARRERAS

Y

LA CACERÍA DE INTERIOR

EVENTO QUE SE DESARROLLARÁ EN LAS DEPENDENCIAS DERRUIDAS DEL ALA ROTA DEL PALACETE NEBROSO Y A LOMOS DE LOS SUSODICHOS CABALLOS DE RUEDAS, EN PRESENCIA DE LAS BUENAS GENTES DEL VECINO VILLORRIO RENDO, EN EL CONDADO DE TENEBRISHIRE INGLATERRA, Y MUY POPULAR EN TODA LA COMARCA.

EN ESTA MISMA EDICIÓN,

LA ÚLTIMA SERIE DE TIRAS SATÍRICAS DEL DIBUJANTE RADICAL MARTIN PUZZLEWIT SOBRE LA VIDA Y MILAGROS DEL ARQUITECTO PAISAJISTA **METAFÓRICO SMITH**, TITULADA

PROGRESO DE UN RASTRILLO.

IMPRESO PARA TRISTRAM SHANDYCABALLERO POR DOLPHIN EN LA PEQUEÑA BRETAÑA, Y DISTRIBUIDO POR EL DR. JENSEN EN PICADILLO CIRCUS, DONDE TAMBIÉN ANOTA LOS ANUNCIOS SIN PERDER UNA SOLA PALABRA, Y POR FABERCROMBIE E ITCH, SASTRES RADICALES DE PUTNEY, WEST LONDON.

El Explorador Polar metió la mano en el abrigo de lona y sacó un periódico mugriento. Señaló la portada con la uña negra de un dedo.

—Aquí dice que Mary Cheli estará entre los invitados a la fiesta anual que organiza su padre y que participará en la carrera de velocípedos metafóricos y la cacería de interior... —El Explorador Polar dibujó en su cara una sonrisa de dientes verduscos—. Entonces se me ocurrió darle una sorpresa.

Ada frunció el ceño. No le entusiasmaban las fiestas que organizaba Lord Goth. Todos los años llegaban a la mansión lords, ladies, poetas, pintores y dibujantes chiflados que ponían el Palacete Nebroso patas arriba. La señora Baten preparaba el banquete con un humor de perros, y se esperaba que Ada se dejase ver y oír menos que nunca.

La carrera de velocípedos podía llegar a ser muy divertida, pero Ada no le veía la gracia a la cacería de interior, que consistía en que los invitados persiguieran pequeñas criaturas por toda el Ala Rota armados de cazamariposas. Aunque después las liberaban, a Ada le parecía una actividad cruel.

Por desgracia, la cacería de interior era muy popular, y cada año los lugareños del pueblo vecino, Villorrio Rendo, desfilaban hasta el palacete con sus antorchas encendidas y se arremolinaban alrededor de la residencia para curiosear.

En ese instante sonó el gong de las cocinas del Ala Oeste. Eran las cuatro, el toque de diana de las ayudantas de cocina.

—Tengo que irme —anunció Ada.

El Explorador Polar asintió y se llevó la uña negra del índice a los labios también negros.

—Ni una palabra —susurró con un guiño.

Capítulo tres

Bostezando, Ada se subió a la cama de ocho postes y corrió las cortinas. Se dejó caer en la almohada gigante y se quedó dormida de inmediato. Estaba agotada. Minutos antes había recorrido el camino que rodeaba el Ala Oeste para entrar por las ventanas bizantinas, cruzar el vestíbulo central, subir la gran escalinata, atravesar el pasillo y entrar a su dormitorio.

La despertaron las campanadas del reloj del tío abuelo, que resonaban en la repisa de la chimenea. Ada se alarmó al comprobar que eran las once. Saltó de la cama y, precipitándose hacia el vestidor, empujó la puerta y entró en él.

Sobre el diván dálmata se encontró su ropa de los miércoles: la boina escocesa, el chal de montaña y el vestido negro de cuadros. Marylebone, su camarera personal, seleccionaba su atuendo todos los días por la mañana y por la tarde; era tan tímida que Ada nunca la había visto. Marylebone había sido la camarera personal de Parténope y, antes de eso, había sido su asistente y se encargaba de confeccionarle los trajes de funámbula.

Eso era todo lo que la hija de Lord Goth sabía sobre Marylebone, porque siempre estaba escondida en el enorme armario del vestidor. Aunque a veces, si Ada tardaba en vestirse, se escuchaba un gruñido que salía del fondo del ropero.

La niña se vistió rápidamente y se puso las botazas atronadoras antes de salir a la pequeña galería donde, todas las mañanas, las ayudantas de la señora Baten servían el desayuno en el aparador.

Había llegado a lo alto de la escalinata y, mientras dudaba si sería buena idea bajar deslizándose por la barandilla, notó una mano en el hombro.

—Pero si es la señorita en persona —la sorprendió una vocecilla zalamera—. Me pareció oír sus pisotones por el pasillo.

Ada se volvió y descubrió la silueta larguirucha y flaca de Maltravers, el guardabosque de interior. Tenía los ojos de color gris pálido, una melena larga y canosa y una ropa cenicienta que hacía juego con su tez. Si bien no le gustaba reconocerlo, Ada le tenía un poco de miedo. Por dondequiera que fuera, Maltravers siempre llevaba consigo un enorme juego de llaves sujeto al chaleco con una cadena. Tintineaban cuando caminaba, y Ada podía saber cuando andaba cerca; claro, siempre que no llevara puestas sus botazas atronadoras, que solían ahogar los demás sonidos.

Maltravers olía a alfombras húmedas y a moho, y trabajaba como guardabosque de interior en la mansión del Palacete Nebroso desde tiempos

MALTRAVERS

inmemoriales. Su trabajo consistía en evitar una serie de sucesos relacionados con la fauna que poblaba el Palacete Nebroso y sus alrededores: que los cuervos se posaran con descaro en las chimeneas ornamentales, que los avispones construyeran nidos en el ático, que los ciervos ornamentales chinos rumiaran los tapices y que los tritones de cola azul pusieran huevos en las bañeras. Para ello utilizaba redes, polvos de fumigar y otras trampas de mil formas y tamaños.

Y, cuando no estaba dedicado a colocar redes ni a envenenar animalillos, Maltravers pasaba el tiempo en la poco visitada Ala Rota, preparando las presas para la cacería de interior anual.

Un año utilizó palomas tiznadas de Rochdale, otro se decantó por conejos orejudos de la Isla de Wight, y durante tres años seguidos había utilizado faisanes de salón en miniatura que él mismo había incubado para la ocasión.

Una vez que las criaturas resultaban apresadas en los grandes cazamariposas de mango largo empleados para la ocasión, eran liberadas en la finca, donde casi siempre prosperaban.

Los tres ciervos ornamentales* utilizados ocho años atrás se habían criado con tanto éxito que ahora había por lo menos un centenar en el parque de los saltimbambis.

Ada sintió un escalofrío. Tenía la sensación de que a Maltravers, de mirada casi siempre pérfida y desagradable, le sentaba mal que liberaran a las criaturas, y más de una vez lo descubrió observando con avidez el trabuco que Lord Goth llevaba a todas partes.

—Anoche vi a alguien merodeando por el Ala Rota —dijo Maltravers, entornando sus grisáceos ojos; luego, soltó una apática risilla y añadió—: Estoy seguro de que no era la señorita, ¿verdad?

Ada notó cómo se le subía el rubor a las mejillas y se mordió los labios.

—Porque la señorita sería incapaz de contrariar a su padre y andar por ahí sin las botazas atronadoras que él le regaló, ¿verdad?

—Desde luego que no —respondió Ada dando un paso atrás.

*Los ciervos ornamentales son piezas carísimas, ya que se traen de contrabando desde China, ocultos en bolsillos de exploradores y diplomáticos. Salen del Palacio del Emperador, en la Ciudad Absolutamente-Prohibida-Que-No-Te-Volveré-A-Repetir.

—Porque la señorita debe saber —siguió diciendo Maltravers, con sus ojos grises muy abiertos y sin pestañear— que la entrada al Ala Rota está prohibida hasta que se celebre la cacería anual, el sábado por la noche.

Ada se quedó mirando cómo Maltravers bajaba la gran escalinata con sus largas zancadas y haciendo tintinear las llaves, cruzaba el gran vestíbulo en dirección a la portezuela oculta tras el tapiz y desaparecía.

—Conque prohibida, ¿eh? —replicó Ada desafiante—. Eso está por verse.

Con paso firme, bajó las escaleras y cruzó a su vez el gran vestíbulo, luego pasó por varias antesalas pequeñas, cada una de las cuales contenía diferentes esculturas de mármol que representaban dioses y diosas clásicos, y por fin llegó a la pequeña galería.

El desayuno estaba servido en el aparador de Jaime I*. Había estofado de liebre, campañol en conserva, torcaz preparada de ocho maneras distintas y tórtola en gelatina, todo presentado en grandes bandejas de

*El aparador de Jaime I es uno de los muebles más feos de todo el palacete, pero, debido a su descomunal tamaño y a su peso, y a que está clavado al suelo, nadie es capaz de retirarlo.

plata cubiertas
con tapas
relucientes,
también de
plata.

Ada hizo
caso omiso de
aquel fastuoso
derroche y
se sirvió un
huevo pasado por agua y cuatro picatostes calientes
con mantequilla que tenían forma de granaderos
prusianos.

Se sentó a la mesa y, cuando estaba mojando un
granadero en la yema, el papel de la pared de enfrente
se onduló como la superficie de un estanque.

La niña se llevó tal susto que dejó caer la tostada.
Un chico acababa de emerger de la pared. Tenía
exactamente el mismo color y el mismo estampado
del papel en el que estaba apoyado, de tal forma
que, si no se hubiera movido, a Ada le habría pasado
completamente inadvertido.

—Buenos días —saludó educadamente—.
Creo que no nos conocemos. Soy Ada, la hija
de Lord Goth.

El chico se sentó a la mesa y adquirió el color
de la silla en la que se acababa de instalar.

—Soy William Cabbage. Mi padre, el doctor
Cabbage, está construyendo una máquina calculadora
para Lord Goth en el salón chino
—explicó—. Espero no haberla
asustado. Me mimetizo con todo
lo que me rodea. Se llama síndrome
del camaleón.

Charles Cabbage era un inventor
al que Lord Goth había invitado al
Palacete Nebroso hacía seis meses
y del que luego se había olvidado.

—No sabía que el doctor Cabbage
tuviera un hijo —respondió Ada.

—Y también tiene una hija
—anunció una vocecilla.

Ada se dio la vuelta y vio a una
chica salir de detrás del aparador.

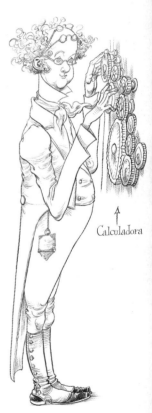

↑
Calculadora

CHARLES CABBAGE,
INVENTOR

La niña, que debía de tener su misma edad, llevaba a la espalda una caja de madera, una silla plegable y, colgado de su caja, un tarro lleno de pinceles. Bajo un brazo sostenía un gran portafolios, e iba calzada con unas pantuflas enormes.

—Soy Emily, la hermana de William —se presentó—. ¡William! ¡Deja de pavonearte y haz el favor de vestirte! —le ordenó al chico.

William soltó una risilla, se levantó de la mesa y se dirigió a la ventana, donde se escondió detrás de las cortinas.

—No te he oído llegar —dijo Ada, levantándose.

—Es porque llevo puestas las pantuflas de exterior —le explicó Emily—. Nuestro padre nos ordenó que no la molestáramos, así que intentamos no trastear cuando la vemos cerca. William ha ido por ahí camuflándose y yo he estado pintando acuarelas en el jardín de atrás. —Frunció el ceño—. Por favor,

EMILY CABBAGE

no le diga que la hemos molestado. Ha sido sin querer. Creíamos que ya habría desayunado, por eso hemos venido a tomarnos un huevo pasado por agua con picatostes. Pero luego hemos oído sus pasos por el corredor, con esas botas suyas tan grandotas...

Ada sonrió.

—Me acosté muy tarde —explicó, mientras avanzaba y estrechaba la mano de Emily—, y no me estáis molestando en absoluto. —Miró sus botas y volvió a mirar a Emily—. Las llevo porque mi padre dice que tengo que ponérmelas. Según él, a los niños hay que oírlos, pero no verlos.

William salió de detrás de las cortinas. Se había puesto un traje de pana azul con calcetines amarillos y botas marrones. Su cara hacía juego con las cortinas.

Ada llevó a Emily al aparador, sirvió en un plato dos huevos pasados por agua y varios granaderos con mantequilla y se lo ofreció.

—Me encantaría que tu hermano y tú

desayunarais conmigo. Los huevos pasados por agua con picatostes son mi plato favorito.

—Y el nuestro —coincidió Emily.

Los tres se sentaron a la mesa. William se manchó la solapa de la chaqueta con yema de huevo, pero los modales de Emily resultaban exquisitos. Ada estaba impresionada.

Cuando terminaron, Emily abrió el portafolios y le enseñó a Ada una serie de acuarelas de las plantas y flores que había descubierto en la Parte Trasera del Jardín de Más Allá (inacabado). A Ada le pareció que los dibujos eran excepcionales. William, que sostenía la acuarela de una rosa mosqueta morada, adquirió exactamente el mismo color.

Ada soltó una risita.

—Qué te he dicho, William… ¡Deja de presumir! —lo reprendió Emily, y luego se volvió a Ada con una sonrisa—. Tiene que perdonar a mi hermano pequeño, señorita Goth. A veces abusa de su talento para camuflarse.

—Por favor, llamadme Ada —pidió ella con amabilidad—. Me encanta hablar con alguien

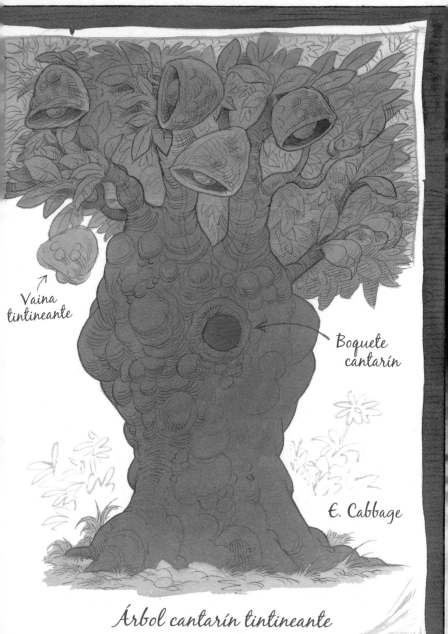

Vaina
tintineante

Boquete
cantarín

E. Cabbage

Árbol cantarín tintineante

de mi edad. A veces este sitio es muy solitario. Las ayudantas de cocina tienen pavor de la señora Baten y no me dirigen la palabra, y la única persona a la que veo es a Maltravers, el guardabosque de interior, pero no resulta muy agradable. Tampoco me gusta molestar a mi padre, porque siempre está muy ocupado, y solo nos vemos una vez a la semana en la gran galería para tomar el té...

Ada se dio cuenta de que estaba hablando demasiado. Pero Emily le caía bien. Era inteligente y educada, y le gustaban los huevos pasados por agua con picatostes.

Tenía ganas de contarles a los hermanos su encuentro con Ismael y con el Explorador Polar que se escondía en el viejo depósito de hielo, pero no sabía si debía hacerlo. No quería asustarlos. Después de todo, Ismael era un fantasma, y el Explorador Polar, un monstruo. Tal vez fuera más prudente esperar hasta que tuviera más confianza con los hijos del profesor Cabbage.

—A nosotros el Palacete Nebroso no nos parece solitario —opinó William poniéndose a rayas, como la taza que sujetaba—. Hemos hecho buenos amigos en el Club del Desván, y todos son de nuestra edad.

—¡Ssshhh! ¡William! —lo interrumpió Emily—. ¡Se supone que el Club del Desván es secreto!

—Se me da genial guardar secretos —señaló Ada intrigada—. ¿Qué es el Club del Desván? Si os prometo no decir nada a nadie, ¿podré unirme?

—Es que… —vaciló Emily, sonrojándose bajo las pecas— el Club del Desván no está pensado para personas como usted, señorita Goth… Quiero decir… como tú, Ada. Es un club para jóvenes doncellas y para los hijos de quienes trabajan para tu padre. —Bajó los ojos hacia las puntas de sus pantuflas de exterior—. Lo que quiero decir es que eres la hija de un lord. Tienes una institutriz muy elegante que ha venido desde Francia, y algún día serás Lady Goth…

—La señorita Delacroix se ha resfriado y ha tenido

que marcharse —explicó Ada, que se acercó a Emily y le dio algunas palmaditas en la mano—. Pero tenía unas ideas francamente interesantes sobre cómo hacer calceta y cómo decapitar a las muñecas que me encantaría compartir contigo y tus amigos del Club del Desván, si os parece bien.

—¿Me prometes que no le revelarás el secreto a nadie? —preguntó Emily, levantando la mirada.

—Lo prometo —aseguró Ada.

Capítulo cuatro

Al terminar su tardío desayuno, William se dirigió al salón chino para ayudar a su padre. Al menos eso le dijo a Ada. Pero Emily le explicó que, en realidad, quería practicar mimetismo con el papel de dragones chinos de la pared.

—Se pasa horas así —dijo alzando los ojos, y acto seguido le preguntó a Ada—: ¿Quieres venir a pintar conmigo? El Club del Desván no se reúne sino hasta la noche, de modo que tenemos tiempo de sobra.

—Me encantaría —respondió Ada.

Después se fue a su habitación dando fuertes y sonoros pisotones para que Lord Goth la oyera, se quitó las botazas y se puso las zapatillas negras. Cogió el bloc de dibujo y el estuche y bajó las escaleras sigilosamente para reunirse con Emily en la terraza veneciana.

—Me encantan tus zapatillas —le dijo su nueva amiga.

Recorrieron juntas el camino que rodeaba
el Ala Oeste y el sendero que llevaba a la Parte
Trasera del Jardín de Más Allá (inacabado).

Ada miró el grueso entramado de zarzas, los arbustos espinosos y los altos bancos de perifollo salvaje.
Se veía el tejado del viejo depósito de hielo, pero no
había ni rastro del albatros ni del Explorador Polar.

—Vamos por aquí —dijo Ada, para apartar
a Emily del depósito de hielo
y llevarla por un camino
más seguro.

Caminaban entre las
altas hierbas, procurando no
pincharse con las púas de zarzas
y espinos. Al poco, Emily
se detuvo, se descolgó la caja
de madera de la espalda y desató
el taburete y el bote de agua.
Se instaló con la caja en las
rodillas y la abrió liberando
los cierres de latón. En el
interior había una botella

metálica de agua y una deslumbrante gama de acuarelas con nombres como amarillo Nápoles, carmesí alizarina, verde Hooker y gris Payne.

Emily vertió agua de la botella metálica en el bote y extrajo una lámina de papel grueso del portafolios, que usó como apoyo. Ada se sentó a su lado.

—¿Qué vas a pintar? —quiso saber.

—Esa planta —respondió Emily, señalando con el pincel un gran arbusto de hojas amarillas y flores carmesí brillantes—. Es un *Misébile borgove;* hermoso espécimen —precisó.

—Yo voy a dibujar un monstruo —propuso Ada mientras abría su estuche—. Un monstruo totalmente inventado, por supuesto —se apresuró a añadir.

Hizo un retrato del Explorador Polar con su enorme abrigo de lona, su rostro blanco, sus ojos pálidos y sus uñas y labios negros.

MISÉBILE BORGOVE

Para terminar, dibujó con tiza blanca al albatros posado en su hombro.

—¡Qué capacidad para producir fantasías desbordantes! —observó Emily—. ¿Te imaginas que realmente existiera alguien así?

—Y tú tienes mucho talento —dijo Ada, cambiando rápidamente de tema.

Cuando el dibujo de Emily se secó, lo guardó en el portafolios y recogió sus bártulos.

De regreso a casa, la amiga de Ada tropezó con algo en la maleza que la hizo caer al suelo. Su compañera la ayudó a levantarse y apartó las hierbas altas con las manos. Allí, asomando en un trecho de grava escondido, se alzaba uno de los letreros de Metafórico Smith: «Sendero del Jardín Secreto».

—Este camino está lleno de maleza —dijo Ada—, pero, si se presta mucha atención...

—¡Qué emocionante! ¡Vamos a seguir el camino! —propuso Emily.

Caminaban por turnos una delante de la otra. Agachándose para esquivar ramas bajas y saltando zarzas enredadas, siguieron el sendero para adentrarse cada vez más en la Parte Trasera del Jardín de Más Allá (inacabado).

Al final llegaron a una elevada tapia en la que había una puertecilla de madera. La puerta exhibía una placa de metal abollada con las palabras «Jardín Secreto» grabadas en ella.

Ada empujó la puerta, que se abrió despacio y entre chirridos causados por sus oxidados goznes. Cogió a Emily de la mano y la cruzaron.

El Jardín Secreto era una verdadera calamidad. La maleza, tan alta como las dos niñas, lo había invadido todo. De los parterres de flores crecían malas hierbas, y los árboles, viejos, nudosos y con ramas retorcidas que caían hasta el suelo, se disputaban el espacio.

Ada y Emily siguieron el trayecto cogidas de la mano. Tras varios serpenteos y rodeos laberínticos, llegaron a otra tapia aún más alta que la primera y con una portezuela de madera aún más pequeña que la anterior.

En la puerta había otro letrero metálico que rezaba: «Jardín Aún Más Secreto».

Emily empujó la portezuela. Y después Ada también empujó.

Como no se movía, unieron fuerzas para empujar, pero sin resultado: no cedía.

—¡Qué chasco! —se lamentó Emily—. Me encantaría ver lo que hay dentro.

Ada dio un paso atrás y se fijó en que la puerta tenía una cerradura.

—Parece que está cerrada con llave —observó—. Y no me extrañaría que Maltravers la tuviera guardada... ¡Oh, no, casi se me olvida! ¡Es miércoles! ¡Me toca tomar el té con mi padre en la gran galería! Más vale que vuelva y me cambie. Tendremos que resolver este misterio en otro momento.

—Si todavía quieres unirte al Club del Desván —dijo Emily cuando llegaron a la terraza veneciana—, reúnete con William y conmigo en lo alto de la gran escalinata a las diez de la noche.

—¡Allí os veré! —se despidió Ada casi sin aliento mientras salía disparada hacia su vestidor.

Cuando llegó, la hija de Lord Goth encontró preparada la ropa de los miércoles por la tarde.

Se puso el largo vestido húngaro con chaquetilla corta, se quitó las zapatillas negras y se calzó las botazas atronadoras. El reloj del tío abuelo* que decoraba la chimenea del cuarto dio las cinco.

*El reloj del tío abuelo que decoraba la chimenea de Ada era un regalo que le hizo a Lord Goth el hermano de su padre, Pequeño Ben, un relojero aficionado que amaestraba ratones para que se subieran a sus relojes y les dieran cuerda.

—No debo llegar tarde —masculló mientras salía a toda prisa de la habitación y bajaba por el pasillo haciendo tanto ruido como podía. Cuando alcanzó la entrada de la gran galería, pegó un pisotón más sonoro de lo habitual.

—Pasa, hija mía —la invitó Lord Goth con una voz apacible y elegante.

Mientras entraba en la salita, sus pisotones hacían temblar las tazas de té.

—Bueno, bueno —dijo Lord Goth—. Puedes dejar de pisotear, que ya te veo. —Ada se dio cuenta de que su padre evitaba mirarla directamente—. Ven a servir el té.

Lord Goth estaba sentado en una de las dos butacas aladas que había junto al ventanal. Llevaba puestas las botas y los pantalones de montar y un frac azul claro con el cuello y los puños de piel de zorro. Anudado en el cuello, lucía uno de los magníficos pañuelos de seda que él mismo había puesto de moda y que, en su honor, se conocían con el nombre de Gothbatas. Posó el trabuco que había estado puliendo distraídamente y cruzó las piernas.

Ada hizo una reverencia y observó que Lord Goth se crispaba, incómodo, cuando sus miradas llegaron a cruzarse.

Su padre apartó los ojos y se fijó en los retratos que decoraban la pared de enfrente, mientras Ada cogía la tetera de plata que había encima de la mesa y servía dos tazas de té de China. Le ofreció una taza y después, tomando la otra, se sentó en la butaca contigua.

Permanecieron en silencio, pero a Ada no le importaba. Lord Goth era el poeta más famoso de Inglaterra y estaba orgullosa de que fuera su padre.

Reflexivo, Lord Goth miró por el ventanal hacia los ondulados y verdes pastos del parque de los saltimbambis, que se extendía al otro lado. A lo lejos, el rebaño de ciervos ornamentales chinos pastaba apaciblemente bajo el sol de media tarde.

Al cabo de unos instantes, Lord Goth colocó la taza de té sobre la mesa y dirigió su mirada ausente hacia el magnífico techo de escayola de la gran galería.

—Maltravers me ha comentado que ha desaparecido su trampa favorita —dijo con su voz apacible y elegante—. Me imagino que no sabrás nada al respecto, ¿verdad?

Ada miró el interior de su taza de té.

—No me gusta Maltravers —respondió con un hilo de voz.

—A nadie le gusta Maltravers —replicó Lord Goth—, pero trabaja en la mansión desde tiempos inmemoriales y, además... —siguió diciendo, al tiempo que evitaba cruzar sus ojos con los de Ada—, lo necesito para la cacería de interior. De modo que nada de curiosear a hurtadillas por las Termas de Zeus.

—¿Las Termas de Zeus? —preguntó Ada con un intenso brillo en sus ojos verdes.

—En el Ala Rota —dijo Lord Goth, volviéndose por fin para mirar a su hija—. Se construyó para la tercera Lady Goth. Es ahí donde Maltravers incuba a los faisanes en miniatura...

Lord Goth hizo una pausa y Ada pudo ver esa mirada de dolor y tristeza que ensombrecía el rostro de su padre y que ella conocía tan bien. Él se puso de pie y, recogiendo el trabuco, se giró hacia el ventanal.

—Desde que la señorita Delacroix nos dejó,
has pasado mucho tiempo dejada de la mano de Dios,
Ada —observó —. Es hora de que pensemos
en contratar a otra institutriz...

Ada suspiró y posó la taza en la mesa.

—Ahora, si me disculpas
—dijo Lord Goth—,
me han entrado ganas
de disparar a nuestros
enanitos de jardín.

Ada salió de la galería
y volvió a su habitación, donde
la cena estaba esperándola.

Levantó la gran tapa de plata que
cubría la bandeja. Debajo había
un *hedióndwich* (dos rebanadas
de pan con un trozo de
O'Rendo Azul en medio), una
manzana del huerto de la cocina
y un vaso de zumo de flor de saúco.

—Seguro que huele de maravilla
—dijo una vocecilla cercana.

Ada miró al suelo y vio a Ismael envuelto en su tenue aureola y flotando sobre la alfombra de Anatolia.

—Pero soy un fantasma y, al parecer, no tengo sentido del olfato y ni siquiera apetito —concluyó apesadumbrado.

—¿Dónde te habías metido? —preguntó Ada.

Ismael se encogió de hombros.

—Aquí y allá —respondió vagamente—. Pero siempre acabo volviendo a este lugar, pues parece que eres la única que puede verme y oírme. —Hizo una pausa y encogió sus traslúcidos hombros—. Por alguna razón que no alcanzo a entender, se ve que te estoy rondando.

—A mí no me molesta. Puedes aparecerte cuando quieras, si así te sientes mejor —trató de animarlo Ada, pues se había encariñado con el fantasma del ratón.

Ismael suspiró.

—Eres muy amable —respondió con aire abatido.

Mientras la niña se sentaba en su medio diván y tomaba la cena, Ismael le contó su vida. Siendo un joven ratoncillo se había marchado de casa para

lanzarse a los océanos, donde vivió un sinfín
de aventuras.

—... y llegué a trabar muy buena amistad con dos
loros y un tucán... —estaba relatando Ismael cuando
el reloj de chimenea del tío abuelo dio las diez.

—¡Qué tarde! —exclamó Ada, que se levantó
y saltó a los pies de la cama de ocho postes, donde
se escondían las zapatillas negras de charol—. Tengo
que irme. He quedado con unos amigos en el ático.
—Dirigiéndose a Ismael, añadió—: ¿Te gustaría venir
conmigo?

—Me encantaría —respondió Ismael soltando
un destello—. Y no te preocupes, no diré este bigote
es mío.

Capítulo cinco

Ada subió la gran escalera con tanto sigilo como pudo, empresa que no resultó nada fácil. Cuanto más subía, más chirriaban los escalones, e incluso, al llegar al rellano del ático, cada paso provocaba un chasquido o un crujido.

—¡Muy bien! —dijo Emily Cabbage, que esperaba en el rellano—. Casi no te he oído llegar.

Ada observó que su amiga llevaba puestas las pantuflas de exterior. De repente se produjo un movimiento ondulado cuando William Cabbage se apartó de la pared de yeso.

—¡Ponte algo, William! —ordenó Emily.

Hubo otra ondulación cuando William volvió a ocultarse en la sombra. A los pocos segundos, emergió vestido con un amplio camisón.

—Seguidme —les pidió el niño.

Caminaron por el pasillo del ático que recorría el Ala Este y pasaron por delante de una hilera

de puertas cerradas. En el aire flotaba un ruido sordo y constante de ronquidos.

—Son las ayudantas de cocina —explicó Emily—. Se van a la cama a las ocho en punto porque tienen que levantarse muy temprano.

Se detuvieron frente a una de las puertas y Emily dio unos golpecitos. La puerta se abrió y ante ellos apareció una niña uniformada con una gran cofia y un delantal enorme. Al ver a Ada pareció sobresaltarse, se ruborizó e hizo una pequeña reverencia.

—Soy Ruby, la despensera de exterior, señorita —balbució.

Ada sonrió y le tendió la mano.

—Por favor, llámame Ada. Encantada de conocerte. Ninguna de las doncellas me había hablado antes —dijo mientras Ruby le estrechaba la mano con timidez.

RUBY, LA DESPENSERA DE EXTERIOR

—Es que la señora Baten nos lo tiene terminantemente prohibido —explicó la chiquilla, que miró con desconfianza a William y Emily—. No me meteré en un lío, ¿no?

—Lo que ocurra en el Club del Desván no saldrá del Club del Desván —sentenció Emily con firmeza.

Siguieron caminando por el pasillo y, doblando una esquina, se adentraron en un oscuro pasadizo al final del cual había una escalera de mano sujeta a la pared. La escalera llevaba a una trampilla. Emily subió y empujó la portezuela. Después agachó la cabeza y miró a Ada, que la observaba desde abajo.

—Bienvenida al Club del Desván —anunció con una sonrisa.

Ada subió la escalera seguida de Ruby y William. Entró por la trampilla y fue a dar a una amplia estancia abuhardillada cuyo techo resultó ser un complejo entramado de cientos de vigas y puntales. A un lado, cerca del suelo, había ventanucos redondos a través de los cuales entraban los rayos de luna que caían sobre un suelo de madera cubierto de polvo. En el centro del desván había una mesa hecha con cajones de frutas, y a su alrededor había dispuestos varios sacos de carbón rellenos de alubias, algunas de las cuales se habían desparramado por el suelo. Dos chicos algo mayores que William esperaban sentados sobre los sacos. Cuando vieron a Ada, se pusieron de pie de un salto.

—Tranquilos —los serenó William—. Ada ha venido para unirse al Club del Desván. Estos son Kingsley, el deshollinador, y Arthur Halford, el mozo de caballos de ruedas.

Ada había visto mozos que se ocupaban de los caballos de ruedas en el recinto del Palacete Nebroso, pero, al igual que ocurría con las ayudantas de cocina, nunca se habían dirigido a ella Arthur Halford era bajito, usaba anteojos y tenía el pelo rubio y revuelto. Llevaba un guardapolvo con manchurrones de grasa

ARTHUR HALFORD, EL MOZO DE CABALLOS DE RUEDAS

del que colgaban algunas herramientas, y al cuello
lucía una Gothbata.

Kingsley, el deshollinador,
en cambio, era alto y delgado.
Tenía el pelo negro de punta
y cargaba un par de cepillos
en la espalda que parecían dos
alas cubiertas de hollín. Llevaba
rodilleras de cuero y unas botas
negras aún más grandes
que las de Ada.

—Antes era aprendiz de
deshollinador, pero Van Dyke,
el deshollinador oficial, se fugó
con tu institutriz, Espialidosa
Poppins, de modo que
me ascendieron —
explicó Kingsley con
una sonrisa.

—Y yo me hago
cargo de *Pegaso*, el caballo
de ruedas de tu padre

KINGSLEY, EL DESHOLLINADOR

—observó Arthur para no ser menos—. Lo estoy preparando para la carrera de velocípedos metafóricos.

William, Emily y Ruby se sentaron cada uno en un saco de carbón, y Kingsley y Arthur compartieron otro para que Ada pudiera ocupar el único sitio que quedaba libre.

—Declaro abierta la sesión del Club del Desván —anunció Emily dando golpecitos en la mesa con una cuchara de madera que Ruby acababa de entregarle—. ¿Quién quiere hablar primero?

Arthur y Kingsley trataron de arrebatarle la cuchara a Emily, pero William se les adelantó. Mientras sujetaba la cuchara, se mimetizó con las sombras grises y azuladas que tenía a su espalda.

—He estado practicando camuflajes interesantes en la zona más vieja de la casa —expuso.

—¡El Ala Rota! —exclamó Ada con viva emoción.

Emily le retiró la cuchara a su hermano y se la ofreció a Ada.

—Solo puede hablar la persona que sostenga la cuchara —le explicó.

Ada sujetó el cucharón.

—El Ala Rota —repitió con más calma, y le devolvió la cuchara a William.

—Pues sí —replicó William—. Hace dos días seguí a Maltravers, el guardabosque. Se dedicaba a recoger los ratones que habían caído en sus trampas y luego volvía a preparar las ratoneras con queso...

Ada oyó cómo Ismael soltaba un grito ahogado, pero nadie más pareció darse cuenta. Bajó la mirada y vio a sus pies la reluciente silueta del ratón.

—Abrió una vieja puerta con tiradores metálicos y entró —continuó William—. Es evidente que trama algo. Pero cerró la puerta antes de que yo echara un vistazo.

Ada volvió a coger la cuchara.

—Ese cuarto se llama las Termas de Zeus, y allí es donde Maltravers incuba a los faisanes en miniatura para la cacería de interior de mi padre —explicó.

Ruby extendió la mano y, con amabilidad, le quitó a Ada la cuchara.

—La señora Baten está harta de Maltravers y de sus extravagantes encargos —informó—. Primero le pidió O'Rendo Azul para sus trampas; luego copos de avena, ¡un saco enterito!; y después tres salmones ahumados; tampoco le hace gracia que haya arramblado con todas las zanahorias del huerto de la cocina.

Emily levantó la mano y Ruby le cedió la cuchara.

—Lo que sea que se esconda en esa habitación tiene unos gustos muy interesantes —dijo—: copos de avena, salmón ahumado, zanahorias, ratones muertos...

Ada oyó un gemido ahogado que terminaba como un chillido.

—Propongo que el Club del Desván averigüe lo que oculta Maltravers en las Termas de Zeus —concluyó Emily barriendo con la mirada a los miembros del club.

—En mi opinión —dijo Ada sujetando la cuchara—, Maltravers no se trae nada bueno entre manos.

El resto de la reunión se dedicó a examinar los informes de otros miembros. Kingsley, el deshollinador, era un escalador consumado y había descubierto algunas chimeneas ornamentales* en el Ala Este que quería enseñar a los miembros del Club.

Por su parte, Arthur Halford, en su calidad de experto mecánico, había perfeccionado el arnés de seguridad que podrían utilizar a tal efecto.

*Las chimeneas ornamentales del Palacete Nebroso se encuentran entre las más elegantes de la comarca. Las llamadas Pirulí Salomónico, Puercoespín y las seis chimeneas de Enrique VIII son algunos de los ejemplos más recargados.

Ruby, virtuosa cocinera, informó de que estaba consiguiendo todo lo que podrían llegar a necesitar para organizar una buena fiesta de medianoche en la azotea, y William les anunció que tomaría prestado el telescopio de su padre para que todos pudieran mirar las estrellas.

Ada guardó silencio.

Al parecer, cada miembro del Club del Desván poseía un talento especial, salvo ella.

—¿Y yo qué puedo hacer? —preguntó.

—Tú tienes una imaginación maravillosa —respondió Emily, apretándole la mano—. Seguro que se te ocurrirá algo.

A las once, Emily posó la cuchara de madera en la mesa de cajones, y todos se retiraron a dormir.

—¿Cuándo es la próxima reunión? —susurró Ada mientras se despedía de William y Emily en las escaleras.

—La semana que viene a la misma hora —informó Emily.

—¡Pero la cacería de interior es el sábado por la noche! —exclamó Ada—. ¡Solo quedan tres días!

—No te preocupes, podremos comentar nuestra investigación sobre Maltravers mañana, durante el desayuno.

Ada dio las buenas noches y volvió a su habitación. Ismael, que brillaba débilmente en la oscuridad, fue tras ella.

El camisón estaba preparado sobre el diván dálmata y Ada se lo puso.

Luego, con un gran bostezo, se acostó, apagó la vela de un soplido, corrió las cortinas de la cama de ocho postes y, en menos que canta un gallo, se quedó dormida.

—Sí que ha sido un día raro —concluyó Ismael con un suspiro.

Capítulo seis

Ada se despertó con el ruido de un carruaje que llegaba rodando por el camino de grava. Se incorporó en la cama y escrutó la oscuridad. Encendió la vela, cruzó la habitación y se acercó con cuidado a la ventana.

En el camino, frente a la escalinata del imponente pórtico del Palacete Nebroso, había un carruaje negro tirado por cuatro caballos negros con plumas rizadas y negras sujetas a sus negras bridas. La puerta del carruaje se abrió lentamente y del interior salió una mujer. Llevaba un vestido y una chaqueta negros, guantes y zapatos negros, un sombrero negro de ala ancha y un tupido velo. En una mano llevaba un maletín grande negro con estampado de calaveras; en la otra, un paraguas negro. Ada se apartó de la ventana mientras la mujer subía silenciosamente la escalera. Momentos después oyó un «toc, toc, toc» seco en la puerta principal.

Las ruedas volvieron a crujir en la grava mientras el carruaje negro, que parecía no tener cochero, desaparecía en medio de la noche. Ada oyó los chirridos de la puerta principal al abrirse lentamente y la sibilante vocecilla de Maltravers al preguntar: «¿Sí?».

—Soy la señorita Borgia, de la Agencia de Institutrices Paranormales —anunció una hermosa y cantarina voz en la que se notaba un leve acento extranjero.

—Pase —dijo Maltravers con rigidez—. Encontrará los aposentos de la institutriz en la cúpula. A Lord Goth, debe saberlo, no le gusta que lo molesten.

—Lo sé —replicó la señorita Borgia con altivez—. Por eso me he puesto a su disposición. La agencia está especializada en la educación de niños malcriados.

—Malcriados es la palabra indicada —murmuró Maltravers, y su voz provocó un sobresalto en Ada—. No se deje engañar por la joven Goth. A pesar de sus aparentes buenos modales, esa chiquilla es una pícara.

Lo siguiente que supo Ada fue que el reloj de chimenea del tío abuelo estaba dando las nueve. De inmediato, la niña bostezó, se estiró, y salió de su cama.

Encontró en el vestidor su indumentaria de los jueves: un vestido de tafetán veneciano, un abrigo otomano con pompones y un sombrero marroquí rojo con borla. Ada se vistió rápidamente y, cuando estaba a punto de ponerse las botazas atronadoras, cambió de idea.

Se dio la vuelta y regresó a su espacioso cuarto, se subió a la cama de ocho postes y se puso las zapatillas negras.

Acto seguido, se dirigió a la puerta, la abrió y se asomó al exterior para echar una ojeada. Ni rastro de la nueva institutriz ni de Maltravers. Salió de puntillas de la habitación y recorrió el pasillo extremando sus medidas de discreción.

Cuando llegó a la pequeña galería, Emily y William Cabbage la estaban esperando junto al aparador de Jaime I.

—¿Qué prefieres, Ada: las salchichas de corzo con natillas de cebolla o los arenques ahumados en costra de gachas y bechamel de fresa? —preguntó William relamiéndose mientras levantaba varias tapas de plata y se volvía primero marrón y, seguidamente, de color fresa.

—Un huevo pasado por agua con picatostes —respondió Ada.

—¡Qué espléndido desayuno! —exclamó Emily cuando terminaron—. ¿Sabes una cosa? Ruby es quien se encarga de recortar los picatostes. Cada mañana imagina una posibilidad distinta para darles forma.

William, que estaba sentado junto a las cortinas y se había mimetizado con un estampado de flores, dejó caer la tostada y señaló la ventana.

—¡Mirad! —exclamó—. El guardabosque de interior.

Maltravers caminaba
a grandes pasos por el camino
de grava que había en el
exterior del Palacete Nebroso.

—Si es el guardabosque
de interior, ¿qué puede estar
haciendo en el exterior?
—preguntó Emily.

—Supongo que se
dirige a su habitación
—dijo Ada—. Cuando
Maltravers no está
trabajando, hace vida
en el jardín.

—Vamos a seguirlo,
—propuso William.

Bajaron la gran
escalinata y se
dirigieron hacia el Ala
Este. Pasaron corriendo
delante del salón egipcio,
el salón precolombino

y el salón chino, donde trabajaba Charles Cabbage abstraído en sus inventos.

Siguieron su camino, pasaron varios salones más cuyos muebles estaban protegidos con fundas desde que Ada tenía uso de razón, y llegaron a las cocinas.

En la despensa interior, naturalmente, las despenseras de interior limpiaban afanosamente el polvo de los tarros, etiquetaban las mermeladas y llenaban tarrinas con hielo fresco procedente del nuevo depósito de hielo. Ninguna de ellas levantó la mirada ni pareció siquiera notar el veloz paso de William, Emily y Ada.

En el vestíbulo, varias doncellas llorosas, encargadas de recibir a las visitas, seleccionaban cucharas de madera y las ordenaban en tarros según su tamaño. También parecían demasiado ajetreadas como para fijarse en los niños.

En la cocina grande de más allá pudieron ver a la señora Baten, que estaba sentada en una enorme mecedora junto a unos fogones gigantes.

Garabateaba frenéticamente en un gran libro desgastado cuyas páginas estaban cubiertas de notas

sujetas con pegotes de masa. Llevaba puesta una enorme cofia que empequeñecía su rostro colérico y congestionado, y un delantal del tamaño de un gran mantel. De su cinturón colgaban mangas pasteleras, martillos de carne, varillas para batir huevos y rodillos de todas las formas y tamaños, que tintineaban y traqueteaban al ritmo de sus andares.

—¡Agnes, entúrbiame esas claras! —rugía como un león marino enfurecido—. ¡Maud, a porrazo limpio con la masa! ¡No, esa masa no, botarate! ¡Pansy, encrespa esos pasteles hasta que estén bien calientes y luego encóstralos! ¡Vamos, niña, que se hace de noche!

Las llorosas ayudantas de cocina se daban empujones y codazos mientras bregaban en fila o alrededor de las tres grandes mesas de la cocina en las que se amontonaban cuencos, bandejas de horno y jarras para medir.

—¡Vamos! —William azuzó a las niñas—. ¡Que no se escape!

Ada y Emily cruzaron la cocina apresuradamente detrás de William y entraron en la despensa exterior.

Era una pequeña habitación con el techo altísimo. Las paredes estaban cubiertas de alacenas y estanterías rebosantes de especias, hierbas, harina, azúcar, colorantes y extractos en botes diminutos. Del techo colgaban manojos de perejil, salvia, romero y tomillo junto a tres sopetrompetas, un trombón pastelero y varias flautas de ensorbetar.

Ruby, la despensera de exterior, estaba sentada en un taburete alto. Fabricaba con paciencia sobre una mesa caballitos de mar con virutas de rábano, destinados a decorar el caldo de Neptuno de la señora Baten. Al ver a Ada se ruborizó.

—Hola, señorita G... Ada —saludó.

—Estamos persiguiendo a Maltravers —susurró Ada—. Por cierto, me encantan esos caballitos de mar. ¡Qué ingeniosa eres!

Ruby se volvió a ruborizar.

—¡Nelly! Neptuniza esas gambas, ¡arreando! —resonó la voz de la señora Baten.

Ada, William y Emily salieron corriendo de la despensa exterior y se dirigieron sin perder tiempo al huerto de la cocina.

—¡Cuidado, que viene! —susurró William antes de empujar a Ada y a Emily detrás de un puesto de judías pintas. Un instante después el niño se volvió verde.

Maltravers había doblado la esquina del nuevo depósito de hielo y caminaba con cierto nerviosismo entre los parterres de flores que adornaban el Vergel del Dormitorio, un poco más allá. Al llegar a Sensata Insensatez[*], sacó una llave del manojo que transportaba atado al chaleco, abrió la puerta principal y accedió al interior.

Ada, Emily y William cruzaron lentamente el Vergel del Dormitorio y se acercaron a la casa.

Se agacharon y, con mucha cautela, se asomaron para mirar por las ventanas griegas. Maltravers estaba sentado en su escritorio con un sobre en la mano.

Pie de Página

*Metafórico Smith diseñó Sensata Insensatez con la idea de que recordara un templo griego en ruinas, pero tenía un tejado sólido, canalones bastante dignos y excelentes tuberías. Junto a ella, el Lago de la Carpa Timidísima era solo un lago que Metafórico Smith se olvidó de poblar con peces de colores.

92

Vieron al guardabosque de interior abrir el sobre con un abrecartas y leer el contenido de la misiva.

Acto seguido la clavó en la pared con un tenedor pinchacartas. Luego metió la mano en el sobre y sacó un billete de banco doblado. Lo desdobló cuidadosamente y lo acercó a la luz. En el finísimo papel se podía leer: «El Banco de Baviera pagará al portador de este billete cinco libras».

William silbó en voz baja. Se había puesto de color mármol.

—¡Eso es un montón de dinero! —susurró.

Maltravers se levantó, se acercó al catre y, agachándose, sacó de debajo una caja de metal y la abrió. Dentro había más billetes de banco.

El guardabosque de interior colocó

Estimado Señor: Tengo grandes esperanzas puestas en la fiesta de Lord Goth y confío en que haya concluido usted los preparativos. Adjunto el pago definitivo. Hansel y Gretel esperan con impaciencia su gran noche.

Suyo atentamente,

Rupert von Hellsung

FABERCROMBIE
& ITCH

SASTRES INTELECTUALES DE WEST LONDON

SOLICITAN SU ASISTENCIA A UNA

REUNIÓN PÚBLICA

PARA RECABAR OPINIONES y pedir ayuda en el asunto de

vestir a los GRANDES SIMIOS DE LA JUNGLA BÁTAVA,

rescatados recientemente de las crueldades de la

COLECCIÓN ZOOLÓGICA ITINERANTE DE VAN DER HUM,

a saber,

WILDMAN, EL SALVAJE
DE PUTNEY

y

LA COMADRE
DE BARNES

Marineros Antiguos y Modernos
PERIÓDICO

AGUA, AGUA POR DOQUIER · NI UNA · GOTA QUE BEBER

PRODUCCIÓN DEL TEATRO DE LA
ÓPERA AL AIRE LIBRE DE ÍTACA

LA ODISEA

Presenta a la Sirena Sesta y las Arpías

Tos et ius, secaepratas aritios siminimendam eium esequi ulpa inimetust, tem quia quia rolorcs serumque parupta simicntatur aut doloresUr aditiis itationse pero voluptatur sum et in praturi tiatia doluptam volloruntem custion sequae asi consed que earumquat omnihiliaut aceperum nus aut voluptiam audi sit lam et qui ut haribus alia tota sed mo ma nis modist, cusda con con repuolae rferore pelignam consed et odia con parcior iscius alignim agnatestem que ne vendia ipid quam estrumqui berum fuga. Nem. At latisimiliae nobiscim fuga. Nequam res se offic tem antis ium fuga. Nequam con perum nobit ad moluptat volumqui ut dolorro invelen dandianisAd quistis de nis molorem. O'videle ssimosto eum endi quiat porpos doloreporro il in re iimius quis endis aut odis ante veruptatqus si villa quis renditi oetium quas et alique is doior ma ate voluptati apicimi liquentis nobit, rendemquiam ratendis et et re nonsedit, eoribus dolupta eptatur sa illa santaeptatur sollatur? Quiducia eatempor aut volorempor sum simagnimi, sequae rel et voiorum fuga. Nam qui ut voluptatem uta ducid quatquam quatus a dis volnt voluptauqam quidemy erepuda ndiciat quasim inci volenesta vel impore, qui omnis expelitVeremporumque porro mintium voloritas enimendorsin volo dolo magnam quia dem. Iliquamet omnianiit, in num rest ut exerum nimil ipieiis accuila dignimp eliquis es consed enihillis veluptae plabo. Ad ex

el billete de cinco libras sobre el montón, aseguró la caja con llave y la volvió a esconder bajo el catre. Soltó una risilla ronca y grave, se acostó y cerró los ojos.

Ada se estremeció al observar la fina y desagradable sonrisa de su rostro.

William apoyó la nariz contra el cristal de la ventana y entornó los ojos para tratar de leer una carta pegada en la pared, encima del escritorio.

—Estimado señor —leyó—, tengo grandes esperanzas puestas en la fiesta de Lord Goth y confío en que haya concluido usted los preparativos. Adjunto el pago definitivo. Hansel y Gretel esperan con impaciencia su gran noche. Suyo atentamente, Rupert von Hellsung.

—¿Qué estará maquinando el guardabosque de interior? —murmuró—. ¿Qué preparativos son esos? Y ¿quiénes son Hansel y Gretel?

—Aquí hay gato encerrado —observó Emily meneando la cabeza.

—Una cosa está clara —señaló Ada—: ¡Maltravers no está jugando limpio!

Maltravers parecía estar roncando en su carriola.

—Tú espera aquí —le indicó Emily a William—
por si el guardabosque se despierta. Ada y yo iremos
a las Termas de Zeus para ver qué encierra allí...,
¡aparte del gato! Tal vez sea algo relacionado
con esos famosos preparativos.

Capítulo siete

Ada condujo a Emily por el vestíbulo hasta el tapiz, lo apartó y dejó ver la portezuela que daba al Ala Rota.

—Sígueme —indicó.

Bajaron un largo tramo de escaleras de piedra y recorrieron un oscuro pasillo con hileras de puertas a ambos lados. Ada se detuvo y abrió una de las puertas. Las niñas se asomaron pero la habitación estaba vacía, salvo por un viejo armario en el que había colgados unos abrigos de piel visitados con frecuencia por las polillas. Ada cerró la puerta y meneó la cabeza.

—Estaba segura de que las Termas de Zeus estaban por aquí... —dijo.

De pronto, del fondo del pasillo llegó el sonido de un canto. Era dulce y melodioso, y hermosísimo.

Ada y Emily siguieron el rastro del sonido. Procedía de una puerta de dos batientes con argollas metálicas a modo de tirador.

—¡Las Termas de Zeus! —exclamó Ada con gran excitación.

Emily agarró una de las argollas, Ada la otra, y tiraron. Cuando las niñas cruzaron el umbral y miraron el interior, el canto se interrumpió.

En el centro de la habitación había una piscina llena de agua estancada con verdín, y en medio de ella se alzaba una roca en cuya superficie había un nido. Una de las criaturas más extrañas que Ada hubiera visto jamás descansaba posada en el nido.

Tenía la cabeza de una mujer y el cuerpo de un gran pájaro. Desde luego no era un faisán de salón en miniatura.

LA SIRENA SESTA

La mujer pájaro se volvió para mirarlas. Tenía los ojos azules con infinitos matices marinos, y el pelo negro como un cormorán, con bucles morenos recogidos en un tocado de bronce que emitía destellos pálidos. Su cuerpo estaba cubierto de plumas del color de algas oscuras, mientras que la cola y las alas eran de un intenso dorado que hacía juego con sus rutilantes garras.

Ada no conseguía apartar los ojos de la criatura. De todas las cosas raras que había encontrado en las habitaciones del Ala Rota, esa era, sin duda, la más extraña y también la más hermosa.

A su lado oyó un traqueteo y un tintineo; provenía de Emily, que había decidido quitarse la caja de acuarelas de la espalda y estaba preparando el taburete y el bote de agua.

—Hola —saludó la hija de Lord Goth con un tono lo más cordial y educado que pudo—. Me llamo Ada. Encantada de conocerla.

La mujer pájaro inclinó la cabeza hacia un lado como una gaviota curiosa, y Ada vio una hilera de dientes afilados que centelleaban al hablar.

—Yo soy Sesta, la sirena —respondió con voz musical—, estrella del Teatro de la Ópera al Aire Libre de Ítaca... Bueno, es más bien una roca en el mar —añadió, con una risa resplandeciente—. Pero siempre vienen marineros para oírme cantar.

—¿Qué está haciendo aquí? —quiso saber Ada.

Emily había sacado una lámina del portafolios y se había puesto a pintar con los ojos como platos.

—¡El dichoso Lord Goth! —exclamó la Sirena Sesta—. Nos invitó a mí y a mis coristas, Orfia, Eurídice y Perséfone...

Ada contemplaba a la mujer pájaro tan embelesada que no había reparado en la jaula que colgaba del techo, sobre su cabeza. Dentro había otras tres mujeres pájaro de ojos saltones y narices puntiagudas, mucho más pequeñas que la Sirena Sesta.

LAS ARPÍAS ORFIA, EURÍDICE Y PERSÉFONE

—Encantadas de conocerte —saludaron a coro, aleteando y meneándose en la percha.

—Mira, ¿ves? —La Sirena Sesta rebuscó en el nido, sacó con las garras un tarjetón con los bordes dorados, y se lo tendió a Ada para que lo leyera.

Para: *la Sirena Sesta y las Arpías*

Lord Goth tiene el honor de invitarlas a la fiesta campestre que tendrá lugar

EN

el Palacete Nebroso

(TENEBRISHIRE, INGLATERRA)

CON MOTIVO DE

LA CARRERA ANUAL DE VELOCÍPEDOS METAFÓRICOS

Y

LA CACERÍA DE INTERIOR ANUAL

—Lo que no comprendo —prosiguió la Sirena ahuecándose las plumas y meneando una pata—

es por qué cuando llegamos aquí el mayordomo de Lord Goth me hizo esto, ¡fíjate!

Ada miró. La pata de la Sirena Sesta estaba rodeada de un grillete con una cadena atada a una argolla maciza que, a su vez, estaba sujeta a un lado de la piscina. Las Arpías golpearon los barrotes de la jaula. Su puerta estaba cerrada con un robusto candado.

—El mayordomo de Lord Goth me da pescado ahumado para comer y a las chicas les da ratones muertos. —Los oscuros ojos de la Sirena brillaron y desplegó sus alas doradas—. Pero nosotras somos artistas; ¡no podemos vivir así! —Su hermosa voz resonó en toda la estancia.

—Así, así, así... —respondieron las Arpías a coro desde la jaula. La mirada de la sirena se posó en Emily Cabbage y sus acuarelas.

—Es usted muy guapa —la elogió Emily mientras mezclaba un verde alga marina para pintar.

La Sirena Sesta posaba inmóvil como una estatua mientras miraba a Emily desde arriba.

—Veo que tú también tienes alma de artista —zureó—. Has de captar mi belleza... y mi dolor.

Ada observó el cerrojo del grillete que rodeaba la pata de Sesta.

—Lo lamento mucho; tiene que haber algún malentendido —se disculpó—. Se lo voy a contar a mi padre, Lord Goth.

Pero Ada podía intuir que no había ningún malentendido. Maltravers había invitado a la Sirena y las Arpías al Palacete Nebroso y las había hecho prisioneras, y la niña tenía la desagradable sensación de que sabía por qué...

Echó un vistazo a las Termas de Zeus.

Allí no se veía ni una pluma de faisán en miniatura, y la cacería de interior estaba prevista para el sábado, es decir, solo faltaban dos noches.

—¿Eres la hija de Lord Goth? —preguntó Sesta, que seguía posando—. Eres un encanto. Y muy educada. No como el mayordomo ese...

De pronto, William Cabbage se coló por la rendija de los batientes. Había adquirido el color de las sombras y las telarañas, pero mientras recuperaba el resuello había adquirido un tono marmóreo. Cerró la puerta y se volvió hacia Emily y Ada.

—¡Maltravers! —exclamó sin aliento mientras se despojaba de la chaqueta y se desabrochaba la camisa—. Se ha despertado... ¡Viene... hacia aquí!

Emily recogió apresuradamente las acuarelas, se colgó la caja a la espalda y vertió el agua turbia en la piscina. Miró a Ada y luego a William.

—Tú puedes apañártelas, William —señaló precipitadamente—. Te puedes camuflar, pero Ada y yo no podemos escondernos en ninguna parte.

Ada echó un vistazo alrededor. Su amiga tenía razón. Los pasos de Maltravers ya se oían en el pasillo.

—¡Ada, Emily! ¡Por aquí!

La hija de Lord Goth miró hacia la chimenea
que había en la pared de enfrente. El rostro tiznado
de Kingsley, el deshollinador, acababa de asomar
boca abajo por la repisa de la chimenea.

—¡Cogedme cada una de una mano!

Ada y Emily se abalanzaron sobre la chimenea
y se aferraron a las manos extendidas de Kingsley.

—¡Súbenos!

Kingsley estaba suspendido por los tobillos
de una especie de artefacto con polea. De pronto,
Ada se vio impelida por el hueco de la chimenea
a una velocidad de vértigo, mientras los viejos
ladrillos desfilaban
a toda velocidad
ante la punta
de su nariz.

Unos instantes
después, los tres
salieron disparados
hacia el exterior.
Ada y Emily se
soltaron de las

manos de Kingsley y se bajaron del cañón de chimenea ornamental por el que acababan de salir.

Sobre la chimenea había un trípode de madera con una cuerda y una polea, junto a un contrapeso y una manivela que Arthur Halford agarraba con fuerza.El chico se acercó y desató las correas que sujetaban las enormes botas de Kingsley, y el deshollinador saltó del cañón de chimenea para reunirse con los demás.

—Es uno de mis inventos —explicó Arthur con orgullo—: el montadeshollinadores; es como un montaplatos, pero para chimeneas.

—Demasiado moderno para mi gusto —dijo Kingsley para no ser menos—, pero muy útil para salir de un atolladero a toda prisa.

Después el chico sonrió y Ada se sonrojó.

—William nos pidió estar preparados por si necesitabais ayuda —explicó Arthur—. Los miembros del Club del Desván somos una piña.

—Gracias, Arthur —dijo Emily sacudiendo el hollín de su portafolios—. Por poco nos pilla Maltravers. ¡Qué hombre más repugnante!

Y no os vais a creer a quién acabamos de conocer. Es una criatura rarísima, pero realmente preciosa...

—Hablando de criaturas raras —la interrumpió Arthur—, esta mañana he descubierto una cosa muy interesante en los edificios medio derruidos que hay detrás de los establos para caballos de ruedas. Es mejor que lo veáis con vuestros propios ojos.

Tras recoger el montadeshollinadores, el grupo emprendió la marcha por el desbarajuste de tejados del Ala Rota.

Kingsley iba señalando las chimeneas ornamentales más interesantes mientras trepaban entre las tejas, pasaban de puntillas por los caballetes de los tejados y bajaban trotando entre cauces y canaletas. Al final llegaron a un arbotante con peldaños de piedra que descendía hasta el suelo.

—Tened cuidado —advirtió Kingsley dirigiéndole una sonrisa a Ada, que se puso como un tomate. El chico dio media vuelta y se marchó por los tejados con un paso tan firme como una cabra montés.

Ada cogió a Emily de la mano mientras bajaban los peldaños de piedra y seguían a Arthur hacia la parte trasera del Ala Oeste. A medida que se acercaban, Ada pudo ver los establos de los caballos de ruedas, que estaban en un edificio bajo y alargado con una serie de talleres con puertas de establo entreabiertas.

En el interior de cada taller se veían mozos vestidos con guardapolvos, igual que Arthur, que trabajaban

inclinados sobre fraguas en las que calentaban radios de ruedas y martilleaban las abolladuras de las llantas, o sobre bancos de carpintero en los que lijaban cuadros curvos de bicicleta fabricados con madera de haya. En las paredes, junto a filas de herramientas ordenadas en colgadores, estaban los propios caballos de ruedas, bien sujetos en percheros.

—Yo estoy a cargo de ese caballo de ruedas —dijo Arthur señalando una espléndida bicicleta con el cuadro coronado por la figurita de un corcel alado—. Es el favorito de Lord Goth.

Pasaron los establos hasta llegar a una serie de pequeños cobertizos cuyos tejados eran de pizarra y estaban medio derruidos, y cuyas paredes se habían apuntalado con postes y andamios de madera.

—Esos son los establos inestables —explicó Arthur—. Ya casi nadie viene por aquí.

Emily y Ada caminaban muy juntas detrás de Arthur, hasta que él abrió una puerta desvencijada y accedió al interior. Cuando, al cabo de unos segundos, los ojos de Ada se acostumbraron a la penumbra, la niña ahogó un grito de sorpresa.

Allí, encadenados por los tobillos, descubrió a dos personajes, uno de gran tamaño y el otro diminuto. Los dos tenían una apariencia extraordinaria.

—Este es Hamish —anunció Arthur—. Es un centauro de Shetland*.

El centauro soltó un relincho y pateó el suelo con los cascos.

—Y este es el señor Omalos, un fauno de montaña procedente de la isla de Creta.

El fauno bajó el poemario que estaba mordisqueando y estiró las mangas de su andrajosa chaqueta de terciopelo verde.

—Les presento a Ada, la hija de Lord Goth —anunció Arthur—, y a su amiga Emily Cabbage.

Emily ya había abierto la caja de acuarelas y se había puesto a dibujar con frenesí.

Arthur se volvió hacia el fauno.

—Dígales lo que me contó a mí.

—Bueno —empezó a decir el señor Omalos con voz áspera, aunque con tono cordial—, no soy más que un fauno de baja

Pie de Página

*Los centauros de Shetland son una de las mil criaturas míticas que habitan Escocia. Los cíclopes de Glasgow y la gorgona de Edimburgo son bien conocidos, pero el eglefino ahumado de Arbroath, una especie de sirena que escupe fuego, es más huidizo.

cuna, mitad cabra, mitad coleccionista de libros.

Tengo olfato para los ejemplares viejos, cuanto

más polvorientos mejor, pero

yo apenas mordisqueo

los márgenes, nunca

llego a las palabras,

porque la tinta puede

resultar un tanto

amarga...

AMISH, EL CENTAURO DE SHETLAND

SEÑOR OMALOS, EL FAUNO

—Lo que mi amigo trata de decir —interrumpió
el centauro de Shetland con un leve relincho— es que
su padre, Lord Goth, nos invitó a una fiesta campestre.
Recibimos invitaciones personalizadas, pero alguien
cuyo nombre no revelaré se las comió cuando llegamos...

—Lo lamento —se disculpó el señor Omalos
poniendo ojitos de cordero y de carnero al mismo
tiempo.

—Total —resopló Hamish—, que ese grosero
guardabosque suyo nos instaló en estos establos
y nos encadenó mientras dormíamos. Les digo que
ese hombre no es trigo limpio. Puede que la dehesa
donde vivo resulte agreste y en exceso ventosa, ¡pero
al menos puedo retozar a mis anchas!

El centauro dio una coz con las patas encadenadas y, cruzando los brazos, miró enfurruñado a Ada.

—Lo siento muchísimo —se disculpó la hija de Lord Goth—. Mi padre convoca a invitados de toda clase a sus fiestas campestres, y a veces las cosas se complican más de la cuenta...

No quería asustar a esas pobres criaturas mencionando sus sospechas acerca de Maltravers y la cacería de interior.

El centauro relinchó.

—Los copos de avena no estaban mal —reconoció.

—Y las zanahorias eran deliciosas —añadió el fauno—; quizá excesivamente frescas para mi gusto...

Cuando Emily terminó de pintar, las dos niñas emprendieron el camino de vuelta. Arthur las había dejado antes, porque solo quedaban dos días para

la carrera de velocípedos metafóricos y la cacería
de interior, y tenía mucho trabajo por delante.

—Debes decirle a tu padre lo que está maquinando
Maltravers —le dijo Emily al llegar a la terraza
veneciana.

—Lo haré —replicó Ada con el ceño fruncido—.
¿Tienes más láminas en el portafolios?

Emily asintió.

—Pues antes tenemos que hacer otra cosa.

Capítulo ocho

¿Has trepado alguna vez a un árbol? —le preguntó Ada a Emily cuando cruzaron la puerta del Jardín Aún Más Secreto.

—Pues alguna que otra... —contestó Emily sin mucha determinación.

—Subir a los árboles es uno de mis pasatiempos favoritos —explicó Ada—. Creo que he heredado de mi madre el sentido del equilibrio y el talento para estar en las alturas. Mi madre era una famosa equilibrista de Tesalónica.

Ada abrió el guardapelo y le enseñó a Emily el retrato en miniatura que llevaba siempre consigo.

—¡Eres clavadita a ella! —exclamó Emily.

Ada sonrió, cerró el guardapelo y señaló el árbol que crecía junto a la gran tapia.

—Este árbol es perfecto —decidió—. Ven y haz lo mismo que yo.

—Lo intentaré —respondió Emily.

Dejó la caja de acuarelas y el
portafolios a un lado para trepar
sin obstáculos, pero se dejó un lápiz
detrás de la oreja y guardó una hoja
de papel doblada en el bolsillo.

Ada trepó al árbol usando hábilmente
los pies y las manos. Emily la seguía con cautela.
Una vez arriba, Ada eligió una gruesa rama que
sobrepasaba la tapia y se adentraba en el Jardín Aún
Más Secreto, y avanzó sobre ella.

Emily se esforzó en seguirla a paso de tortuga,
hasta que alcanzaron a un punto donde la gran rama
se dividía en un montón de ramitas pequeñas, con
grandes hojas y castañas de indias cubiertas de púas.

—Los castaños de indias frondosos son los más divertidos de trepar —le aseguró Ada a Emily, que se agarraba con fuerza y trataba de no mirar abajo. Ada apartó las hojas que tenían delante.

—¡Mira! —dijo.

—¡No puedo! —objetó Emily.

Abajo había un pequeño jardín salpicado de lechos de grava con grandes guijarros. A diferencia de otros jardines que habían explorado, el Jardín Aún Más Secreto lucía increíblemente pulcro y ordenado.

En el centro del jardín había un elegante edificio de forja y cristal, y junto a él, en un letrero de madera, se leía: «Invernadero de la Armonía». Asomándose desde la rama que sobrepasaba la tapia, Ada pudo ver lo que había bajo el tejado de cristal. El invernadero estaba lleno de grandes macetas en las que crecían plantas desconocidas con hojas de colores y exóticos frutos que colgaban en racimos. Pero había algo más, y al verlo Ada no pudo contener un grito de asombro. Era justo lo que sospechaba.

INVERNADERO DE LA ARMONÍA

—Creo que no tengo tu don para las alturas —dijo Emily con aspecto lívido.

—¿Me prestas lápiz y papel? —solicitó Ada.

—Si puedes, cógelos tú misma —respondió Emily—. Yo preferiría no soltarme de esta rama.

Ada se hizo con el lápiz que Emily llevaba en la oreja y el papel de su bolsillo. Volvió a prestar atención al Invernadero de la Armonía y a los dos personajes que había visto en su interior.

Eran dos simios grandes con el rostro de color marrón oscuro y un hermoso pelaje anaranjado. Iban ataviados con prendas de aspecto impecable y refinado. Sin perder detalle, Ada hizo un retrato de los simios y, cuando estaba a punto de doblar la hoja para volver a meterla en el bolsillo de Emily, oyó el ruido de una llave en la cerradura. Se quedó inmóvil mientras, abajo, se abría la puerta del Jardín Aún Más Secreto y entraba Maltravers empujando una carretilla de madera. Al llegar al invernadero, el hombre cogió sus llaves y abrió la puerta de cristal.

—Wildman, el Salvaje de Putney, y la Comadre de Barnes —exclamó Maltravers con su vocecilla

aguda y melosa—. ¡Quién os ha visto y quién os ve!
No se puede negar que esos sastres intelectuales
de West London que os rescataron
tienen un gusto exquisito para
la ropa. Ya veremos cuánto obtengo
por estos trapos.

Se agachó para quitarle
la chistera al Salvaje
de Putney, se la probó
y la echó en la carretilla.

—¿A que no ibais
tan bien vestidos
cuando os sacaron de
ese circo ambulante?
—Le desató el
gorrito a la
Comadre
de Barnes
y le quitó el
chal de los
hombros,
ante la

WILDMAN, EL SALVAJE DE PUTNEY

mirada compungida de la criatura—. Me sorprende que los sastres os dejaran venir.

LA COMADRE DE BARNES

Maltravers soltó una risotada mientras les quitaba el resto de las prendas y las amontonaba en la carretilla.

—Por lo que veo, una invitación personal de Lord Goth resulta muy convincente.

Metió la mano en el bolsillo del chaleco del Salvaje de Putney, sacó un tarjetón de bordes dorados y se lo guardó en el bolsillo de su propio chaleco.

Acto seguido, el guardabosque de interior salió del invernadero empujando la carretilla y cerró la puerta con llave.

Ada esperó hasta estar segura de que se hubiese ido y, a cuatro patas, retrocedió lentamente por la rama, ayudando a Emily a cada paso.

Por fin, cuando pisaron suelo firme, Ada le enseñó el dibujo a su amiga.

—Ya sabía yo que Maltravers tenía algo encerrado en el Jardín Aún Más Secreto —proclamó Ada triunfalmente—. Si no me equivoco, está planeando utilizar a estas pobres criaturas para la cacería de interior del sábado.

—Te han quedado genial, sobre todo teniendo en cuenta que estabas en un árbol —observó Emily, y guardó el dibujo en el portafolios, junto a sus láminas de acuarelas—. Ahora debes irte y contarle a tu padre esta horrible situación.

Encontraron a William al regresar a la terraza veneciana. Estaba junto a las ventanas bizantinas y, cuando se apartó de la pared, el niño estaba blanco como el estuco.

—Llevo todo el día persiguiendo a Maltravers —les contó—, camuflándome y tratando de hacerme con las llaves, pero están sujetas con una cadena a su chaleco y nunca se lo quita. Lo he seguido hasta el huerto, donde ha recolectado unas zanahorias, y luego ha ido a un jardín secreto que hay detrás de una tapia. Es raro, pero entró con una carretilla vacía y luego salió con la carretilla llena de ropa... Cuando lo dejé, estaba levantando tablas en una de las habitaciones vacías del Ala Rota... ¿Qué se traerá entre manos?

—Ponte algo de ropa —ordenó Emily elevando los ojos al cielo— y te lo contaremos.

De pronto se oyó un fuerte disparo al otro lado de la pradera.

Los chicos se dieron la vuelta y vieron a Lord Goth a lo lejos, que pasaba zumbando por el jardín de roca. Conducía su caballo de ruedas, *Pegaso,* mientras apuntaba con un trabuco humeante. Detrás de él se veía a varios enanitos de jardín alpinos, colocados en las crestas de las rocas, que habían perdido la cabeza.

Lord Goth corría cada vez más deprisa cuando dobló la esquina del jardín de roca y pasó frente al Ala Oeste en dirección al pórtico de la entrada principal. Las ruedas escupían gravilla a su paso. Al llegar a la escalinata se apeó rapidamente y dejó caer el caballo de ruedas a un lado.

—¡Si me doy prisa podré alcanzarlo en la puerta de su despacho! —exclamó Ada, que entró en la casa

y, despidiéndose por encima del hombro, añadió—:
¡Nos vemos mañana en el desayuno!

La niña subió corriendo la escalinata oeste,
cruzó el primer pasillo y dobló la esquina en la que
montaba guardia la armadura
de tres piezas* del primer
Lord Goth.

Allí, viniendo
de frente, su padre
llegaba a lo alto
de la gran escalinata.

Ada se detuvo
al ver la expresión
de Lord Goth, que
la miraba a los ojos con
una mezcla de estupor,
sorpresa y tristeza.

Seguidamente, sus ojos
se desplazaron del rostro
de Ada a las zapatillas
que llevaba puestas,
y endureció el gesto.

*La armadura
de tres
piezas fue
especialmente
fabricada para
el primer Lord
Goth por su
herrero, y está
compuesta
por una única
coraza y dos
cascos, que
en realidad
son señuelos
para evitar la
decapitación de
su portador.

—¡Padre! —empezó a decir Ada—. Siento molestarte, pero tengo que contarte una cosa...

—Ada —Lord Goth la interrumpió con su apacible y elegante voz—, estoy muy contrariado.

—Pero, padre —protestó Ada—, Maltravers...

—¡Ada! —Lord Goth volvió a interrumpirla, con una voz aún más apacible y elegante—. Una de mis más firmes convicciones es que a los niños solo hay que oírlos, no verlos.

—Lo sé, padre, pero... —trató de explicar Ada.

—Y no te he oído llegar porque no llevas puestas las botas que te regalé.

—Lo sé, padre, lo siento. Se me ha olvidado...

—¿Olvidado? —repitió Lord Goth, pasando delante de Ada y agarrando el picaporte de su despacho—. ¡Olvidado! ¿Tan poco significan mis deseos

para ti? ¿Qué será lo próximo? ¿Que has subido
a los tejados?

El rubor incendió las mejillas de Ada y la niña
bajó la mirada hacia sus zapatillas negras de charol.
Lord Goth empujó la puerta de su despacho y, sin
dirigirle una mirada, entró en él.

—Cualquier cosa que tengas que decirme
—remató a modo de elegante y apacible golpe
de gracia— podrás contármela cuando tomemos
el té en la gran galería la semana que viene.

La puerta de su despacho se cerró con un golpe
seco. Ada se dio la vuelta y, abatida, volvió por
el pasillo hasta su habitación.

La próxima semana sería demasiado tarde.
Faltaban dos días para la cacería de interior, prevista
para la noche del sábado. Pensó en las pobres
criaturas a las que Maltravers había tendido una
trampa (la Sirena Sesta y las Arpías, el señor Omalos
y Hamish, el Salvaje de Putney y su esposa), todas
ellas prisioneras del guardabosque de interior
y a punto de sufrir el atroz acoso de los invitados
de Lord Goth.

Recordó a Maltravers en su cuarto de Sensata Insensatez, el billete de cinco libras de la caja fuerte que guardaba bajo el catre y la carta clavada en la pared...

«... Hansel y Gretel esperan con impaciencia su gran noche. Suyo atentamente, Rupert von Hellsung».

Ada sintió un escalofrío. ¿Hansel y Gretel? No sabía qué estaba planeando Maltravers, pero no parecía la cacería de interior típica.

Llegó a la gran escalinata y, cuando estaba a punto de cruzar el descansillo para ir a su habitación, una silueta oscura descendió silenciosamente por la barandilla.

—Señorita Goth —saludó una voz suave con un leve acento extranjero—, por fin nos conoce-mos.

Capítulo nueve

Ada miró a su interlocutora. La silueta oscura avanzó, se bajó ágilmente de la barandilla y aterrizó en el descansillo.

La nueva institutriz extendió una mano blanca para que Ada la estrechara. Estaba fría como el hielo.

—Encantada de conocerla —saludó Ada.

—Puedes llamarme Lucy —respondió la institutriz—. ¿Sabes, Ada? me gustaría que fuéramos amigas.

Ada sonrió algo indecisa y se preguntó cuánto tiempo

LUCY BORGIA

conseguiría quedarse esa extravagante institutriz
en el Palacete Nebroso.

—Vamos al aula —dijo Lucy—, así podremos
conocernos mejor.

—¿No es un poco tarde? —preguntó Ada.
El sol se estaba poniendo y fuera las sombras eran
cada vez más alargadas.

—Nunca es tarde para conocerse mejor
—dijo Lucy con voz cantarina. Volvió a subirse
a la barandilla y le ofreció a Ada una mano gélida—.
Además, cuando sepas más cosas sobre mí descubrirás
que soy más bien ave nocturna.

Ada aceptó la mano y se subió a la barandilla junto
a la institutriz. Lucy dio un toquecito en la baranda
con el paraguas negro de punta afilada que llevaba
en la otra mano, y las dos se deslizaron hacia arriba.

—¿Cómo lo ha hecho? —preguntó Ada, pasmada,
al llegar a lo alto de la escalinata.

—Es un viejo truco de institutriz —respondió
Lucy con una sonrisa que a Ada le recordó un viejo
retrato que había visto una vez—. Soy una institutriz
muy vieja.

LA MONA LUCY

—¿Ah, sí? —respondió Ada con gran curiosidad.

Se bajaron de la barandilla y entraron en el aula.

—Tengo más de trescientos años.

El aula, situada en la cúpula del Palacete Nebroso, era grande y circular. El techo estaba cubierto de pinturas de querubines con alas, gruesas mujeres con vestidos vaporosos y hombres de expresión grave que parecían dar caza a un cisne. En un lado de la cúpula estaba el pupitre de Ada y enfrente se hallaba el escritorio de la institutriz. Ambas mesas estaban colocadas de cara a la pared, pero el sonido se transmitía con tanta nitidez que con solo susurrar la otra persona podía oír perfectamente.

Ada siguió a Lucy, que cruzó una portezuela y subió los peldaños de piedra de una escalera

de caracol. Al llegar arriba y abrir la puerta de una habitación, un asustadizo ciervo ornamental salió huyendo despendolado por la escalera.

—Entra, Ada —la invitó Lucy—. Siéntate.

La hija de Lord Goth se sentó en una silla baja junto al tocador. Encima del mueble había un espejo cubierto con un pañuelo negro, un alfiler de sombrero y lo que parecía un vaso de sangre.

Lucy se sentó en la cama. A sus pies estaba el gran maletín negro que Ada le había visto transportar la noche anterior.

—Quizá sea mejor que te lo explique —decidió Lucy.

Fuera, la pálida luna blanca brillaba sobre el Palacete Nebroso y bañaba el tejado con su luz plateada.

—Pues verás, es que soy una vampira.

Ada hizo un gesto afirmativo con la cabeza, aunque no sabía a ciencia cierta lo que era un vampiro.

—En otro tiempo fui una princesa italiana y vivía en la preciosa ciudad de Cortona, construida en lo alto de una colina. Pasaba horas sentada en un balcón, con aguja e hilo, remendando calzas, mientras los donceles tocaban el laúd y cantaban para mí desde el patio. De vez en cuando, alguno de esos jóvenes intentaba trepar por el balcón y me traía sus calzas, y yo me sentía obligada a zurcirlas.

Lucy sonrió y una expresión ausente se instaló en sus ojos cuando miró por la ventana para contemplar la luna llena.

—Eran días felices —dijo dulcemente, pero enseguida frunció el ceño—. Un día, un apuesto y atrevido conde húngaro vino a visitar a mi padre. Traía un extraño instrumento que tocaba con un arco de crin y que emitía un sonido parecido a los maullidos de un gato.

Debo reconocer que aquel hombre me dejó prendada. De modo que una noche de luna llena, dejé que el conde Vlad, el violinista, tocara para mí y escalara hasta mi balcón. Yo era joven e inconsciente y él llevaba puestos unos leotardos de cota de malla que le protegían las calzas, así que no me resistí cuando me cogió en sus brazos. Fue un error funesto. Ya ves, él era un vampiro* y, en lugar de besarme, me mordió en el cuello y me convirtió en vampira.

—¿Le dolió? —preguntó Ada con los ojos abiertos de par en par.

—La verdad es que no —respondió Lucy—. Fue como un cosquilleo, aunque quizá eso tuvo que ver más con su bigote... El caso es que me enfadé tanto que lo empujé con todas mis

*Como ya se sabe, matar a un vampiro es dificilísimo; clavándole una estaca en el corazón lo reduciremos a polvo; con un palo puntiagudo lo reduciremos a escombros del tamaño de guijarros, y si usamos un lápiz muy afilado lo reduciremos a cartón reciclable.

fuerzas por el balcón y él fue a caer a un emparrado de rosas que había en el patio. ¡Quedó reducido a cenizas! Fue como clavarle una estaca en el corazón, solo que más decorativo. —Sonrió con tristeza—. Y yo no tardé en descubrir lo incómodo que resulta ser vampira: huir de la luz del día, solo beber sangre, ir siempre de negro...

—El negro le queda muy bien —dijo Ada sinceramente. Ser vampiro no parecía lo mejor del mundo, pero se veía que Lucy Borgia se lo tomaba con sentido práctico.

—Gracias —dijo Lucy—. Debes saber que jamás se me ocurriría beber sangre humana. Me alimento principalmente de animales y de algún pajarillo no volador. No les causo ningún daño, por supuesto —añadió y, señalando el vaso que había en el tocador, preguntó—: ¿Te importa?

—En absoluto
—respondió Ada, pasándole el vaso a la institutriz.

Lucy tomó un sorbo y cerró los ojos.

—Sangre de ciervo ornamental, ¡exquisita!
—Posó el vaso y se quitó las zapatillas—. Hace tiempo decidí tomarme un siglo sabático; pasé cien años vagabundeando y tratando de pensar en una vocación. Al final comprendí que me apetecía enseñar, y me hice institutriz. Institutriz duelista, para ser exactos.

—¿Institutriz duelista?
—repitió Ada. Aquello sonaba todavía mejor que ser un vampiro de trescientos años.

—Te lo demostraré
—dijo Lucy, que se puso de pie con agilidad y abrió su maletín.

Se desplegaron varios niveles de bandejas de terciopelo unidas por bisagras de plata, como el interior de un joyero. Y, encajadas en la elegante tela, había una gran variedad de puntas de paraguas.

Lucy se agachó y cogió el suyo. Lo giró en la mano, con un movimiento experto desenroscó la punta, y seleccionó una pieza para colocarla en su lugar. Giró la nueva punta con un golpe de muñeca y agitó el paraguas.

—Plata de ley —explicó—, ideal para batirse en duelo con hombres lobo.

Dio una vuelta al paraguas con destreza y volvió a reemplazar la punta.

—Bronce pulido, lo mejor para mantener a raya a un minotauro.

El paraguas giró una vez más en su mano.

—Amatista antigua,
indicado para combates
con faraones momificados.
Y, por supuesto, no podía
faltar mi favorita...

Escogió una contera
larga y afilada
de una de las bandejas de
terciopelo y la ajustó en el
extremo del paraguas con
un gesto parsimonioso.

—Madera de naufragio
pulida, para bajarle los
humos a un pirata vampiro.

Lucy dio
un paso atrás
y otro adelante sobre
las puntas de los pies,
blandiendo el paraguas
con una mano extendida
y apoyando la mano libre
en la cadera.

—Con el paraguas adecuado —explicó
la institutriz duelista— puedes ahuyentar cualquier
tipo de amenaza, afrontar cualquier peligro
y, al mismo tiempo... —dio un golpecito ligero
al mango y el paraguas se abrió—, ¡guarecerte
de la lluvia!

A Ada se le iluminaron
los ojos al contemplar con
más atención el paraguas
y las bandejas de terciopelo
de Lucy Borgia, y preguntó:

—Por casualidad, ¿hay
algún paraguas indicado
para enfrentarse a un
guardabosque de interior
que tiene muy malas
intenciones y somete
a seres débiles?

Capítulo diez

gnoraba por qué, pero a Ada le reconfortó hablar con Lucy Borgia y contarle sus sospechas con Maltravers. Mucho más animada después de su charla, se deslizó por la barandilla y caminó sin hacer ruido hasta su habitación.

Saltó a la cama y, cuando se disponía a apagar la vela, oyó el leve suspiro que empezaba a conocer tan bien. Ismael, el fantasma del ratón, flotaba sobre

la alfombra de Anatolia y brillaba pálidamente a la luz de la vela.

—Eso de ir vagando sin rumbo y aparecer y desaparecer repentinamente en mitad de la noche no es lo que se dice una juerga —dijo alicaído—. Es como si no pudiera controlar mis movimientos.

—Pobrecito —se compadeció Ada, y cayó en la cuenta de que no había tenido tiempo para acordarse de Ismael en todo el día.

El ratón meneó la cabeza.

—Yo era un ratón aventurero... No estoy hecho para todo esto de flotar y rondar, aparecer y desaparecer... —Ismael miraba a Ada suspendido sobre la cama de ocho postes—. Esta tarde, cuando me aparecí, se estaba poniendo el sol, y era un crepúsculo tan hermoso que lo único que me apetecía era ir hacia la luz...

—¿Y por qué no has ido? —quiso saber Ada, apenada al ver tan triste a Ismael.

El ratón se encogió de hombros.

—No lo sé —respondió—. No pude. Es como si algo me lo impidiera y me retuviera aquí...

—¿Por qué no me cuentas alguna de tus aventuras? —pidió Ada, que vio encantada cómo Ismael se animaba y cómo la luz de su aureola brillaba con mayor intensidad.

—Bueno, podría contarte mi viaje a la tierra de los bichiputienses... —empezó.

Ada se tumbó sobre su enorme almohadón y cerró los ojos.

Cuando despertó, un fino rayo de sol se filtraba por una fisura en las cortinas y el reloj de chimenea del tío abuelo daba las ocho y media.

Ada saltó de la cama y se dirigió al vestidor. Su indumentaria de los viernes se componía de un sombrero de paja de Somerset atado con un lazo a la barbilla, un holgado chal de Wessex y un vestido de Norfolk con espigas bordadas en el dobladillo. Tuvo buen cuidado de ponerse sus botazas atronadoras para no disgustar a su padre, y se dirigió a la pequeña galería para desayunar con Emily y William.

—No hay huevos pasados por agua con picatostes —observó William, fijándose en las flores bordadas del vestido de Ada—. Dice Ruby que la señora Baten trae a todo el mundo de cabeza con la gran cena de esta noche.

—De eso quería hablaros —anunció Ada, ignorando por completo las tres bandejas de rollitos de anguila con mayonesa de confitura—. Mi nueva institutriz...

—¿Tienes una nueva institutriz? —inquirió Emily con un asomo de tristeza—. ¿Significa que ya no podrás pasar más tiempo con nosotros?

—Todo lo contrario —la tranquilizó Ada—. Lucy Borgia suele trasnochar; mis clases tendrán lugar cuando se ponga el sol, de modo que durante el día podremos dibujar y explorar.

—¿Le has contado a tu padre lo de Maltravers y las criaturas encerradas? —preguntó Emily.

—Lo he intentado, pero no me hace caso —respondió Ada—. Hoy es viernes, y los invitados a la carrera de velocípedos y la cacería de interior llegarán esta misma tarde. Pero todo va a salir bien

—siguió explicando— porque Lucy ha prometido que hablará con él personalmente durante la cena de gala de esta noche. Dice que lo que está haciendo Maltravers es cruel y deshonesto y que ella no teme al guardabosque. Lucy Borgia es una institutriz duelista, ¿sabéis?

—¡Una institutriz duelista! —exclamó William al tiempo que se volvía azul aciano—. ¿Qué es una institutriz duelista?

Y así, mientras desayunaban una tostada de lechuga fría, Ada les dio todos los detalles sobre Lucy Borgia.

Cuando terminó, Emily cerró el portafolios. Durante el relato de Ada había estado repasando sus acuarelas de las criaturas.

—Pues debo decir que es un alivio —concluyó—. No creo que en una cacería de interior se deba utilizar un ser tan maravilloso como una sirena, por mucho que después la pongan en libertad. Ni ninguna otra criatura.

—Eso mismo opina Lucy —le respondió Ada a Emily—. Estoy convencida de que mi padre atenderá a razones.

El Salvaje de Putney　　La Comadre de Barnes

con mi agradecimiento a Ada
E. Cabbage

El señor Omalos

E. Cabbage

La Sirena Sesta　　Las Arpías

E. Cabbage

Hamish

E. Cabbage

—Trescientos años... —comentó William, adoptando el color verde de su media tostada—. ¿Vendrás al Club del Desván y nos contarás lo que ella te enseñe? —preguntó con ojos expectantes—. La esgrima de paraguas tiene una pinta interesantísima, y además, si llueve, viene genial...

Los niños pasaron un día muy distendido. Jugaron a las bochas de alfombra en la gran galería y a los bolos de intemperie en la terraza veneciana, pintaron paisajes en el parque de los saltimbambis e hicieron navegar barquitos de papel en la fontana barroquísima*.

Habían procurado evitar los lugares que pudiese frecuentar Maltravers. Ada no quería darle al guardabosque de interior ningún motivo de sospecha antes de la cena de gala. Estaba segura de que Lord Goth se enfadaría mucho cuando descubriera que Maltravers no había estado criando faisanes de salón en miniatura para la cacería de interior, sino urdiendo un maquiavélico plan.

Pie de Página

*En un principio, la fontana barroquísima era un simple abrevadero para caballos, pero cada escultor visitante le fue añadiendo florituras para quedar por encima de los demás. Al final, se les ordenó que pusieran fin a aquella espiral de vanidad. Sus creaciones acabaron ocupando tanto espacio que apenas quedaba sitio para el agua.

Y William le había conseguido a Ada las pruebas
que lo demostraban...

Estimado Señor: Tengo grandes esperanzas
puestas en la fiesta de Lord Goth y confío en
que haya concluido usted los preparativos.
Adjunto el pago definitivo. Hansel y Gretel
esperan con impaciencia su gran noche.
Suyo atentamente,
Rupert von Hellsur

FABERCROMBIE
& ITCH

SASTRES INTELECTUALES DE WEST LONDON
SOLICITAN SU ASISTENCIA A UNA

REUNIÓN PÚBLICA

PARA RECABAR OPINIONES y pedir ayuda en el asunto de
vestir a los GRANDES SIMIOS DE LA JUNGLA BÁTAVA,
rescatados recientemente de las crueldades de la
COLECCIÓN ZOOLÓGICA ITINERANTE DE VAN DER HUM,

a saber,

...MAN, EL SALVAJE
...DE PUTNEY   y   LA COMADRE
DE BARNES

CONCURSO HÍPICO DE
SALTOS DE HIBERNIA
GACETA

Hamish, el cen-
tauro de Shet-
land, realiza un
circuito impecable
en la Prueba de
Ponis de Shetland,
en la isla de Jura.
Entre sus contrincantes, *Greñas*,
el valiente potro, y la cabra *Alastair*
ofrecieron también saltos extraordi-
narios y ocuparon un dispu-
gundo y tercer puesto. La ...
sin embargo, resultó una dece...
estar compuesta por frailecillo...
cuantos granjeros contrariado...

...RETA
...VISTA LITERARIA

C R E T A

... sol, mar, arena y literatura

A N U N C I O S

...l señor OMALOS, fauno,
...tiene el placer de anunciar
...evento especial que tendrá
...ar durante una única semana,
...siempre que las condiciones
...eorológicas lo permitan.
...ATA LITERARIA
...E UN POEMARIO
...liciosos volúmenes en verso,
...empolvados y forrados en piel,
...n las más altas normas de calidad

Un minotauro de...
ganó el primer campeon...
lanzamiento de troncos celeb...
Edimburgo durante el Festiva...

Marineros Antiguos y Modernos
PERIÓDICO

AGUA, AGUA POR DOQUIER   NI UNA   GOTA QUE BEBER

PRODUCCIÓN DEL TEATRO DE LA
ÓPERA AL AIRE LIBRE DE ÍTACA

LA ODISEA

Presenta a la Sirena Sesta y las Arpías

—Maltravers se va a enterar de lo que vale un peine —amenazó William mientras su barquito de papel naufragaba por tercera vez en la fontana barroquísima—. Seguro que este año quería sorprender a todos con una cacería de interior superespecial.

—Me imagino que lo hace para presumir —dedujo Emily, sumergiendo el bote de las acuarelas en el agua.

—No sé yo... —objetó Ada, que quería encontrar una explicación más razonable para los billetes de cinco libras—. Lo importante es que Lucy Borgia se lo contará a mi padre y que él pondrá fin a los planes de Maltravers —añadió convencida—. Después de todo, si se llegara a saber que en el Palacete Nebroso se hace prisioneros a los invitados y se les encadena, nadie vendría a nuestras fiestas campestres nunca más.

En ese momento se oyó el crujido de las ruedas de varios carruajes en la grava, y Ada, Emily y William contemplaron una fila de carrozas cruzando la verja de la finca y tomaban el camino de acceso al palacete.

—Hablando de invitados —señaló William, poniéndose del color de una escultura de sirena absurdamente rococó, es decir, muy pálido—, están llegando.

Los carruajes pasaron delante de la fontana barroquísima y aparcaron frente a la escalinata de la entrada principal. La puerta del Palacete Nebroso se abrió y Lord Goth salió a recibir a los invitados, seguido de Maltravers.

El primer carruaje era un elegante coche de cuatro plazas en el que viajaban Lady George, duquesa de Devon, y su compañero Tristram Shandycaballero. Eran los amigos más antiguos de Lord Goth y todos los años asistían a sus fiestas.

LADY GEORGE,
DUQUESA DE DEVON

TRISTRAM SHANDYCABALLER

Lord Goth los recibió afablemente y los invitó
a entrar junto a los tres corpulentos dálmatas
que los acompañaban en el carruaje.

El siguiente vehículo, una calesa destartalada con
la capota llena de goteras, transportaba a los poetas
de sociedad Molebridge y O'Quincy. Siempre
andaban a la gresca, pero jamás
se perdían una fiesta campestre.

Complacido, Lord Goth
les estrechó la mano,
y eso bastó para
desencadenar un
acalorado debate
entre los dos poetas
sobre cuál de
ellos debía entrar
después del otro.

Detrás del carruaje
de los poetas llegó
un carro descubierto
tirado por dos
percherones.

LOS POETAS
MOLEBRIDGE y O'QUINCY

En él viajaban el doctor Jensen, que era el hombre más inteligente de Inglaterra, y su biógrafo, MacDuff. Ada nunca había oído una palabra de labios del doctor Jensen. El sabio usaba anteojos oscuros y vestía unos pantalones escoceses enormes. MacDuff, por su parte, era un hombre flacucho y sobre él recaía la obligación de dar conversación. Siempre llevaba un palo de golf, pues temía de manera enfermiza a las ardillas rojas.

El doctor Jensen se bajó del carro con esfuerzo, se sacudió la paja de los pantalones y, sin decir ni mu, estrechó la mano de Lord Goth. Tras él se apeó MacDuff, que compartió con

EL DR. JENSEN Y MACDUFF

Lord Goth una ocurrencia que acababa de tener el doctor Jensen. Cuando entraron en el palacete, Lord Goth bajó las escaleras para recibir al siguiente invitado.

Se trataba de Martin Puzzlewit, el caricaturista radical, que llegaba en su carrito de burro monoplaza. Era un hombre de pelo canoso y ceño fruncido que siempre llevaba puestos unos guantes de boxeo. Quería estar preparado por si surgía una pelea.

Por suerte, casi nunca les daba uso. Nadie entendía sus caricaturas lo suficiente como para darse por aludido. Lord Goth trató de estrecharle la mano, pero no pudo, de modo que le dio al caricaturista radical unas palmaditas en el hombro y se volvió hacia el último carruaje, que acababa de aparcar.

MARTIN
PUZZLEWIT,
CARICATURISTA
RADICAL

Era un coche magnífico de pino de Baviera. Exhibía dos cornamentas de ciervo colgadas en los extremos delantero y trasero e iba tirado por una tropilla de seis briosos corceles austriacos de exhibición, con aparejos carmesí.

La puerta del coche se abrió y unos peldaños plegables de terciopelo carmesí bajaron hasta el suelo. Se asomó un esbelto brazo, y Lord Goth, sosteniendo con galantería el guante negro que surgió delante de él, le hizo un besamanos. Se oyó una risilla juguetona y, por fin, asomó una joven esbelta y elegante. Llevaba una chaquetilla negra con gorguera de encaje y un faldón de rayas negras.

—Mary Cheli, novelista —se presentó—. Encantada de conocerle, Lord Goth. Soy una gran admiradora de su poesía.

Lord Goth soltó la mano de Mary Cheli y le dirigió una leve inclinación.

MARY CHELI, NOVELISTA

—El placer es mío —respondió con su elegante y apacible voz. En la mano, que llevaba enfundada en un guante negro, Mary Cheli sostenía un libro encuadernado en piel.

—Es una copia de mi novela superventas —explicó con una sonrisilla afectada—. Se titula *El monstruo, o Prometeo se porta mal*. Tal vez haya oído hablar de ella. Pero antes de que Lord Goth pudiera responder, una enorme ave marina blanca se precipitó en picado desde el cielo. El ave arrebató el libro de las manos de Mary Cheli y salió volando con el volumen en su pico largo y amarillo.

—Me advirtió de la popularidad de su novela —observó una voz procedente del fondo del coche—, pero esto raya en el absurdo.

Tras decir esto, un hombre alto, ataviado con
un sombrero de ala ancha y una capa negra de piel
de oso, descendió del coche.

Tenía los ojos azules como el hielo, un bigote largo
y fino con las puntas enceradas y una mandíbula
prominente que sobresalía aún más al hablar.

Mary Cheli se ruborizó y soltó una risilla coqueta.

—Le presento a Rupert von Hellsung. A mi
carruaje se le rompió una rueda hace algunas millas,
y Herr von Hellsung me rescató al borde del camino.
Imagine mi sorpresa y mi deleite al descubrir que
ambos éramos invitados suyos.

Lord Goth arqueó una ceja y Ada se dio cuenta
de que su padre no recordaba haber invitado
a ningún Rupert von Hellsung a su fiesta campestre,
pero que su extrema cortesía le impedía poner
objeciones.

Maltravers dio un paso adelante.

—Tengo entendido que Herr von Hellsung
es el campeón de caballos de ruedas de Múnich,
milord —señaló el guardabosque de interior
con su fina y melosa voz.

—¿Ah, sí? —se sorprendió Lord Goth, y le dedicó al visitante una elegante sonrisa—. Sea usted bienvenido al Palacete Nebroso —dijo, estrechando la mano de von Hellsung—. La cena se sirve a las ocho.

RUPERT VON HELLSUNG

Capítulo once

Ada subió las escaleras de cuatro en cuatro y recorrió el pasillo hasta su habitación. Esperaba que su padre pudiera oírla llegar, pues de verdad lamentaba haberlo disgustado el día anterior al no ponerse las botazas atronadoras.

Tenía la esperanza de que todo se solucionara y estaba pensando en eso al empujar la puerta del dormitorio. Lucy Borgia se encargaría de que así fuera. Solo hacía un día que la conocía y ya empezaba a pensar que quizá fuera la mejor institutriz que había tenido.

La hija de Lord Goth sabía lo que se esperaba de ella en la cena: que se sentara en la mesa sin decir ni pío y que se limitara a escuchar la brillante conversación de los distinguidos invitados.

Ninguno de los convidados hablaba nunca con Ada. Después de todo, solo era una chiquilla y no tenía nada interesante que aportar. Además, estaban demasiado ocupados buscando ocurrencias ingeniosísimas para espetárselas a los demás.

Ada encontró sobre el diván dálmata del vestidor la ropa del viernes por la noche. Había un vestido largo de raso negro azulado, un par de guantes largos negros con estrellitas bordadas y una diadema de media luna coronada con un broche de pluma de cisne.

Se puso el vestido y los guantes, se peinó con un recogido y se colocó la diadema. Miró el suelo. Junto al diván, en lugar de sus botazas atronadoras, vio un par de elegantes zapatos negros con tacones de claqué.

Sonrió, pues le gustaba cuando, en ocasiones especiales, se le permitía llevar calzado menos ruidoso. Y la cena de gala que precedía la carrera de velocípedos metafóricos y la cacería de interior era una ocasión especial, sin duda alguna.

Ada se puso los zapatos e hizo una pirueta frente al gran espejo. Del fondo del armario salió un gruñido de aprobación. La niña hizo una reverencia y se fue a cenar.

El comedor del Palacete Nebroso estaba en el Ala Este. A un lado tenía unos grandes ventanales con vistas al parque de los saltimbambis. Al otro estaba instalado el viaducto de interior, que unía la ventanilla de servicio corintia, situada junto a la puerta, con la mesa de comedor, que ocupaba el centro de la estancia.

De la ventanilla de servicio salía una maqueta de vía de tren que pasaba por el viaducto y daba la vuelta a toda la mesa. La vía salía desde la cocina del Palacete Nebroso, y una locomotora de vapor llamada Trenecito Chu-Crut* hacía el recorrido. En ocasiones especiales se utilizaba este sistema para transportar los platos de la señora Baten a los invitados, que podían servirse a placer cuando la locomotora resoplaba en su lento recorrido delante de ellos. Tras dar la vuelta al circuito de la mesa, el Trenecito Chu-Crut volvía a la cocina, donde las ayudantas se encargaban de reponerlo y prepararlo para la siguiente vuelta.

Cuando Ada llegó al comedor se podía escuchar en la cocina el silbato del Trenecito Chu-Crut, y los invitados de Lord Goth

*El Trenecito Chu-Crut es una versión en miniatura de la famosa locomotora de vapor Rápido de Brócoli, que se utilizaba para transportar zanahorias y coles de Norfolk a Londres hasta que colisionó con el Mayonesa Exprés a las afueras de la localidad de Rúcula.

ocupaban sus puestos en la mesa. Ada se sentó
en uno de los extremos.

El doctor Jensen arrojaba panecillos a Martin
Puzzlewit, que, iracundo, los apartaba a puñetazos
con sus guantes de boxeo.

Lord Goth presidía la mesa con una apacible
y elegante sonrisa en su cara. Tiró de la cuerda
de campana que había junto a su asiento e instantes
después la locomotora de vapor, diseñada y
construida por el hijo de un ingeniero llamado
Stephenson, llegó traqueteando
por la ventanilla de
servicio corintia
que había junto
a la puerta,
y cruzó
el viaducto
de interior.

Ada observó
a la máquina
tomar una curva
y avanzar delante

de ella tambaleándose. A su paso, los comensales se servían. La locomotora se alejó por el viaducto, rumbo a la ventanilla de servicio corintia.

El traqueteo y la velocidad de la máquina se apagaron en la distancia y no tardaron en volver a la carga. Con un pitido, el Trenecito Chu-Crut resurgió por la ventanilla y volvió a avanzar hacia la mesa, con los vagones otra vez llenos de platos humeantes.

Mientras la máquina rodaba, el doctor Jensen arrojó un flan de pato y ruibarbo a Martin Puzzlewit, que lo recibió en toda la frente.

—Como dice el doctor Jensen, cuando un hombre se cansa del ruibarbo, es que está cansado de vivir... —sentenció MacDuff mientras el caricaturista agitaba el puño en sus narices.

—Tal vez no se me dé bien dibujar manos, ¡pero sé dibujar narizotas bien grandes! —bramó Puzzlewit—. Espere y verá...

Ada se hundió en su asiento. La cena transcurría como cada año, con comida volando por los aires, discusiones y diálogos de besugos en los que nadie escuchaba a nadie.

La niña echó un vistazo por uno de los ventanales. El sol se había ocultado y la luna llena brillaba sobre el parque de los saltimbambis. El ciervo chino ornamental arrojaba sombras de luna bajo la luz plateada. Miró por encima del hombro hacia la puerta del comedor.

«¿Dónde se habrá metido Lucy Borgia?», pensó con impaciencia.

Lord Goth estaba sentado en su silla con gesto de aburrimiento mientras la duquesa de Devon contaba una historia sobre uno de sus sabuesos dálmatas obesos que

utilizaba el carruaje para perseguir gatos. La locomotora recorrió toda la mesa de nuevo y volvió a la cocina. Entonces, se abrió la puerta y Lucy Borgia entró en el comedor.

El doctor Jensen lanzaba cucharadas de tarta de manzana con panceta a Martin Puzzlewit, que le amenazaba con sus guantes de boxeo, mientras MacDuff les contaba a Mary Cheli y a Tristram Shandycaballero una genialidad sobre las langostas que se le había ocurrido al doctor Jensen.

Ningún invitado prestaba atención a la mujer de pálido rostro vestida de negro que se acercaba a Lord Goth. Al llegar junto al poeta, la mujer se detuvo y, con el paraguas, le dio unos golpecitos en el hombro. El Trenecito Chu-Crut regresó de la cocina rebosante de comida. Echando humo, cruzó el viaducto de interior y emprendió su circuito sobre la mesa.

Ada se levantó de la silla.

—Lord Goth, hay algo que debo contarle... —dijo Lucy Borgia con la voz clara.

Pero entonces Martin Puzzlewit lanzó un puñetazo hacia el doctor Jensen, que estaba sentado al otro lado de la mesa, y en el camino golpeó un vagón que transportaba una generosa ración de caracoles al vapor y una gran salsera.

Los caracoles saltaron y la salsera voló por los aires, rociando a los invitados con mantequilla de ajo caliente.

Ada vio cómo la mantequilla salpicaba a Lucy Borgia, que retrocedió despavorida.

—¡Nooooo! —gritó dando media vuelta y huyendo del comedor a toda prisa.

Durante unos instantes nadie dijo una palabra.

MacDuff cogió una servilleta y se limpió la cara.

—Como dice el doctor Jensen, cuando un hombre se cansa de la mantequilla de ajo, es que está cansado de vivir.

Capítulo doce

N adie se percató de que Ada abandonaba el comedor. Estaban demasiado ocupados tirándose comida unos a otros y discutiendo entre gritos e improperios.

La niña corrió hacia la gran escalinata y el clic clac de sus tacones resonó en el palacete. Cuando llegó a los aposentos de Lucy Borgia, la encontró inmóvil y recostada en su cama.

Llevaba puesta una combinación negra y su vestido negro estaba tirado en un rincón.

—Lo siento, Ada —susurró con un hilo de voz—. Te he fallado..., pero es que el ajo... es venenoso para los vampiros...

—Ha sido un accidente —replicó Ada—. Usted ha hecho todo lo que ha podido.

—Por favor, llévate eso de aquí. Ese olor... —Lucy señaló el vestido negro—. Menos mal que el paraguas no se ha manchado...

Ada recogió el vestido. Lucy cerró los ojos y concluyó la conversación:

—Necesito descansar para recuperar fuerzas. Me temo que tendrás que arreglártelas tú sola. ¡Tienes que pararle los pies a Maltravers y rescatar a esas pobres criaturas!

Ada salió de los aposentos de Lucy y se deslizó por la barandilla. Al llegar al descansillo de la primera planta, divisó una débil aureola.

—Ismael —llamó, y observó que el fantasma de ratón estaba más traslúcido de lo habitual—, ¿qué sucede?

—Vengo del Ala Rota —respondió Ismael con los bigotes temblorosos—. He oído a Maltravers hablando con uno de los invitados de tu padre.

—¿Con cuál de ellos? —preguntó Ada bajándose de la barandilla y caminando junto a Ismael en dirección a su cuarto.

—Ojos crueles, bigote puntiagudo, una cadena

muy grande... —describió el ratón—. Me ha dado mala espina.

—Von Hellsung —confirmó Ada, que entró en el espacioso dormitorio y cerró la puerta con cuidado.

Ismael permaneció en la vieja alfombra de Anatolia y miró a la niña con estupor.

—¡Lo tienen todo planeado! Para la cacería de interior de mañana en la noche, Maltravers ha diseñado un circuito por toda el Ala Rota que terminará en el tejado.

—¿El tejado? —repitió Ada, perpleja—. Mi padre jamás lo consentiría. Nunca sube al tejado, al menos desde la noche en que mi madre... —Se interrumpió.

—El hombre de ojos crueles soltó una risotada verdaderamente terrible y dijo que así ninguno podría escapar —recordó Ismael con un estremecimiento—. Y añadió que todas las cabezas quedarían de maravilla en la pared de su pabellón de caza, en Baviera*.

*El pabellón de caza de Rupert von Hellsung, conocido como Siniestro Schloss, está en los fantasmagóricos bosques de los Alpes Bávaros. Además de cabezas de ciervos, jabalíes y osos colgadas en las paredes, Von Hellsung tiene un erizo inglés muy tupido. Lo llama Señora Tiggiewinkle y está expuesto en una vitrina junto a la puerta.

—¿Las cabezas? —Ada se sentó en el borde
de su cama de ocho postes—. Es más grave de lo que
me había imaginado...

—Eso mismo pensé yo —convino Ismael—. ¿Qué
vamos a hacer?

Ada se quitó los zapatos de clic-clac y se puso
las zapatillas negras.

—Solo hay una solución...

—¿Y cuál es? —preguntó el fantasma del ratón.

Los ojos verdes de la niña se iluminaron.

—¡Convocar de urgencia una reunión del Club
del Desván! —exclamó.

A la mañana siguiente, Ada se despertó muy tarde.
Era sábado, el día en que se celebraba la carrera
de velocípedos metafóricos y la cacería de interior.
La niña había pasado la mitad de la noche despierta.

Saltó de la cama y se dirigió al vestidor, donde
encontró preparada su ropa de los sábados sobre
el diván dálmata. Se puso la chaqueta de terciopelo
carmesí con botonadura dorada, el vestido blanco
de damasco y la capa verde oscuro. Por último, cogió

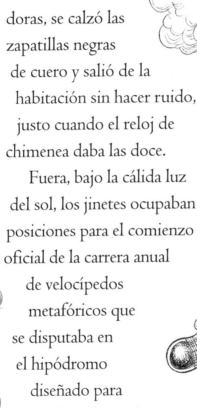

su paraguas de mango nacarado. Hizo a un lado las botazas atronadoras, se calzó las zapatillas negras de cuero y salió de la habitación sin hacer ruido, justo cuando el reloj de chimenea daba las doce.

Fuera, bajo la cálida luz del sol, los jinetes ocupaban posiciones para el comienzo oficial de la carrera anual de velocípedos metafóricos que se disputaba en el hipódromo diseñado para caballos de ruedas.

«En sus plantas... Puntillas listas...».

¡BANG!

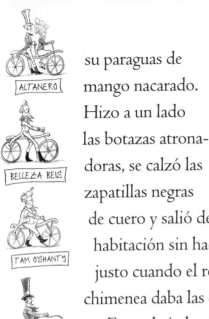

ALTANERO

BELLEZA BEIS

TAM O'SHANTY

PEGASO

TROYANO

GARABATO

JILLY C.

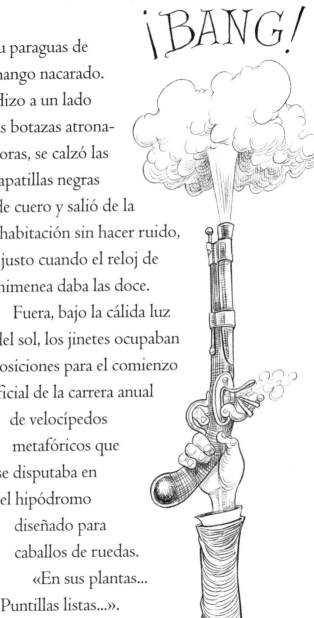

Maltravers dio, como siempre, el pistoletazo de salida, y las ayudantas de cocina se dedicaron a jalear a los jinetes que salían disparados.

① .

Al torcer en la primera curva, Lady George y Tristram, a lomos de *Altanero*, iban a la cabeza, seguidos de cerca por Lord Goth, que conducía a *Pegaso*, y por los poetas Molebridge y O'Quincy, que cabalgaban codo con codo sobre *Belleza Beis* y *Tam O'Shanty*; detrás iban el doctor Jensen y MacDuff, que montaban a *Troyano*, junto con Mary Cheli, a lomos de *Jilly C.*; y, corriendo en último lugar, Martin Puzzlewit a lomos de *Garabato*.

② .

En lo alto de la Colina de la Ambición, *Altanero*, *Belleza Beis* y *Tam O'Shanty* derraparon en el camino enlodado, y Lord Goth se puso en cabeza.

③ .

Al bajar por la otra ladera, el doctor Jensen ganó velocidad y *Troyano* derribó a *Belleza Beis*

y a *Tam O'Shanty*, enviando a los dos poetas de bruces
al Estanque de la Introspección.

En el Camino de Grava de la Vanidad, Lady George
perdió un zapato. Tristram se cayó del asiento trasero
del tándem y se desgarró el puño de la camisa.

El resto de corredores, al llegar al Pantano
del Desaliento, aminoraron bruscamente la marcha
por causa de la delicadeza de las ruedas de sus
caballos, que se atascaron en el barro. El doctor Jensen
cogió un puñado de lodo y se lo arrojó a Martin
Puzzlewit, que le pisaba los talones. Tras lanzar
un berrido de indignación, el caricaturista, a lomos
de *Garabato*, perdió el equilibrio y quedó hundido
hasta la cintura en un charco.

Cuando el pelotón llegó a la Avenida de la
Insultante Fortuna, ya solo había tres corredores

compitiendo: el doctor Jensen, que se sacudía
el fango del dobladillo de su enorme pantalón
escocés; Lord Goth, manchado de barro, pero
impulsado por una distinguida determinación;
y Mary Cheli, que se aferraba a su caballo de ruedas.

Al adentrarse en la galería de árboles, el doctor
Jensen le cerró el paso a Lord Goth. MacDuff,
estirándose desde el sidecar de mimbre, trató de meter
su palo de golf entre los radios de *Pegaso*. Lord Goth
zigzagueó con un vertiginoso movimiento de piernas
y logró esquivar el ataque justo a tiempo.

El palo de golf de MacDuff causó un gran
estruendo al golpear los troncos de los árboles,
lo que ahuyentó a varias ardillas que fueron a parar
a su cesta. El biógrafo lanzó un chillido desgarrador
y saltó sobre las rodillas del doctor Jensen, que chocó
estrepitosamente contra un árbol.

Lord Goth y Mary Cheli tomaron la última
curva y galoparon hacia el poste de llegada en una
competición muy reñida. De pronto, desde el cielo

azul surgió una gran ave marina que cayó en picado
y soltó un cubito de hielo que se coló en el cuello
de la blusa bretona de Mary Cheli.

Con un quejido de indignación, la distinguida
novelista derrapó en la Chicana de la Esperanza
Frustrada y cayó derribada de su caballo de ruedas.

⑧

Con la chistera alzada en elegante gesto de triunfo,
Lord Goth y *Pegaso* pasaron a medio galope delante
del poste de llegada, entre las ovaciones de mozos
y doncellas.

Ada regresaba del viejo depósito de hielo
y se detuvo al doblar la esquina del Ala Oeste.
En una mano llevaba un portafolios. En la otra
sostenía un paraguas con el que hizo una señal
a Arthur Halford. El mozo de caballos de ruedas
respondió con un gesto afirmativo de la cabeza.

Entonces, Ada dio media vuelta, cruzó corriendo
la terraza veneciana y se metió entre las ventanas bizantinas para desaparecer dentro del Palacete Nebroso.

Capítulo trece

l caer la noche en el Palacete Nebroso, una procesión de habitantes del cercano Villorrio Rendo cruzó la verja de la finca y recorrió el camino de acceso al palacete. Se congregaron en torno a la fontana barroquísima con sus antorchas encendidas y se dispusieron alrededor del Ala Oeste y en la zona posterior de la mansión.

Allí, entre las malas hierbas y la maleza de la Parte Trasera del Jardín de Más Allá (inacabado), los aldeanos curioseaban por las ventanas polvorientas del Ala Rota mientras esperaban que diera inicio la cacería de interior.

Entretanto, en el vestíbulo principal del Palacete Nebroso, Lord Goth y sus invitados se reunían a lomos de sus caballos de ruedas.

Los poetas Molebridge y O'Quincy no se dirigían la palabra. Sin embargo, no se quitaban el ojo de encima, cada uno a horcajadas sobre su velocípedo y con un cazamariposas de mango largo en la mano.

Lady George y Tristram, montados en su tándem *Altanero*, compartían un cazamariposas extralargo y aguardaban impacientes.

—¡Me apasiona la caza del faisán en miniatura! —le comentaba con fervor Lady George a Lord Goth. Detrás de la duquesa, en su sillín, Tristram asentía entusiasmado.

—Maltravers me acaba de anunciar que nos tiene preparada una sorpresa —señaló Lord Goth con sequedad.

Aunque lo disimulaba bien, Lord Goth estaba orgulloso de su victoria en la carrera de velocípedos metafóricos. Ahora albergaba grandes esperanzas para la cacería de interior.

—Como dice el doctor Jensen, cuando un hombre se cansa de las sorpresas, es que está cansado de vivir —observó MacDuff desde su asiento en el sidecar de mimbre enganchado al caballo de ruedas del doctor.

El doctor Jensen dio un toquecito a Martin Puzzlewit con su cazamariposas. El caricaturista radical agarraba el manillar de su caballo de ruedas con los guantes de boxeo y trataba por todos los medios de no responder a las provocaciones.

A su lado, Mary Cheli retocaba su laborioso peinado mientras le ponía ojitos tiernos a Rupert von Hellsung.

—Espero que ya no esté resfriado —dijo con una risilla traviesa y mirando la capa de piel de oso que cubría a Von Hellsung hasta los tobillos—. A fin de cuentas, es una cacería de interior.

—Desde luego —respondió Von Hellsung, quien, para gran decepción de Lord Goth, se había excusado en la carrera de velocípedos metafóricos debido a un repentino «resfriado».

—Ahora que voy bien abrigado, me siento preparado para ganar esta cacería —dijo mientras se acomodaba en el sillín de su caballo de ruedas, llamado *Cabalgata de la Valquiria*.

Maltravers surgió de detrás del tapiz de Brujas con un manojo de llaves en una mano y un cuerno de cazador en la otra. Agitó las llaves con gesto teatral.

—¡He soltado a las presas de este año! —anunció—. ¡Que empiece la cacería de interior!

Maltravers se llevó el cuerno a la boca y sopló con fuerza.

Lord Goth y sus invitados se lanzaron al ataque en sus caballos de ruedas, cruzaron al galope la puerta del Ala Rota y bajaron en tropel el tramo de escaleras que daba al otro lado, para, finalmente, adentrarse por el oscuro pasillo cubierto de telarañas que había más allá.

—¡Hurra!

—¡Banzai!

—¡Al abordaje!

A medida que los invitados exploraban los pasillos, corredores y pasadizos, los gritos se hacían cada vez más ensordecedores.

Pero Maltravers no había dejado nada al azar. En las paredes había dibujado flechas con pistas que indicaban: «Por aquí», «Gira a la izquierda», «Gira a la derecha» y «Sigue hasta la próxima bifurcación».

Mientras Lord Goth y sus invitados ojeaban las presas por los pasillos del Ala Rota, se veían fugazmente criaturas con plumas que revoloteaban y se oían ruidos de cascos y extraños gruñidos de mono salvaje.

Se habían retirado algunas tablas del suelo para colocarlas en los peldaños, de tal forma que los caballos de ruedas pudieran rodar sobre ellas para perseguir a las presas de interior, que huían hacia los pisos superiores delante de los invitados.

Las imágenes de pelaje naranja y destellos de plumas verdes y garras doradas solo servían para estimular la cacería de interior mientras los concursantes agitaban los cazamariposas sobre sus cabezas. Fuera del palacete, los espectadores provenientes del pueblo animaban y agitaban sus antorchas, tratando de vislumbrar las siluetas borrosas a través de las mugrientas ventanas.

Las criaturas y sus ojeadores subían cada vez más por las rampas instaladas por Maltravers. A medida que la cacería se acercaba a los niveles superiores del Ala Rota, Lord Goth, a lomos de *Pegaso*, se iba replegando consternado.

El grupo de cazadores llegó a un descansillo en el que se veía un gran letrero pintado en la pared: «Todo recto en esta dirección», decía.

Von Hellsung pasó al galope y, como una centella, cruzó la puerta que había enfrente. Los demás invitados pasaron tras él y fueron a dar al tejado del Ala Rota. Ante sus ojos se extendía un bosque de chimeneas, al fondo de las cuales se alzaba la cúpula del Palacete Nebroso, recortada contra el cielo iluminado por la luna. Las antorchas de los aldeanos parpadeaban muy abajo, en el suelo.

Lord Goth cruzó la puerta en último lugar y soltó el manillar de Pegaso, que se desplomó sobre las tejas con gran estruendo. El padre de Ada cayó

al suelo entre temblores. Sus invitados se volvieron
y se quedaron mirándolo.

Cuando levantó los ojos, todos pudieron
ver que las lágrimas bañaban su hermoso rostro.
Su magnífica cabellera ondeaba en la brisa,
y su ceño permanentemente fruncido había dado
paso a un gesto de inmensa tristeza.

—Parténope —susurró—, tan decidida, testaruda
e indómita. Por eso me enamoré y por eso no pude
impedir que subieras a caminar por los caballetes
de los tejados... ¡Oh, pero esa noche! ¡Los truenos!
¡Los relámpagos! El horror, el horror...

—¡Ahí están! —gritó Rupert von Hellsung,
señalando con gran agitación.

Sobre las chimeneas ornamentales había ocho
extraordinarias criaturas que parecían congeladas
de terror: una sirena, tres arpías, un fauno,
un centauro y dos grandes simios.

Lady George, Tristram, los poetas, el doctor
Jensen, MacDuff y Mary Cheli alzaron los
cazamariposas, pero Von Hellsung los empujó
sin contemplaciones.

—¡Son mías, solo mías! —rugió. Echó hacia atrás la capa de piel de oso y en su cinturón se vieron dos pistolas de caza de cuatro cañones metidas en fundas de cuero.

En una de las pistoleras se leía la palabra «Hansel» estampada en relieve; en la otra ponía «Gretel».

Ante los ojos atónitos de los asistentes, Von Hellsung desenfundó las pistolas y disparó: un tiro, dos, tres, cuatro, hasta ocho... Con cada disparo, una criatura se hacía añicos delante de los espectadores.

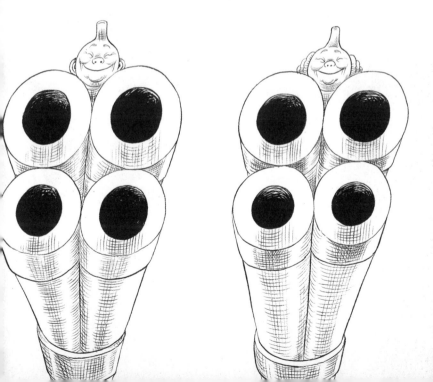

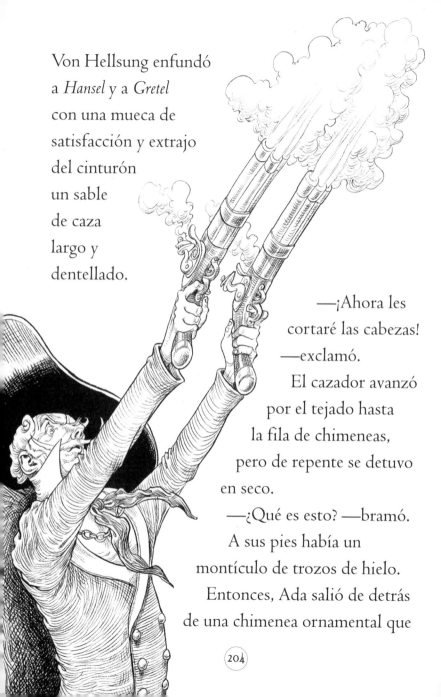

Von Hellsung enfundó a *Hansel* y a *Gretel* con una mueca de satisfacción y extrajo del cinturón un sable de caza largo y dentellado.

—¡Ahora les cortaré las cabezas! —exclamó.

El cazador avanzó por el tejado hasta la fila de chimeneas, pero de repente se detuvo en seco.

—¿Qué es esto? —bramó.

A sus pies había un montículo de trozos de hielo. Entonces, Ada salió de detrás de una chimenea ornamental que había un poco más allá, acompañada de la Sirena Sesta.

De las chimeneas cercanas surgieron los demás miembros del Club del Desván, cada uno acompañando a una criatura. Ruby, la despensera de exterior, estaba junto al señor Omalos, el fauno. Emily Cabbage tenía una arpía en cada brazo y una más posada sobre la cabeza.

Kingsley, el deshollinador, apareció junto a la Comadre de Barnes, y Arthur Halford sujetaba de la mano al Salvaje de Putney, mientras que William Cabbage acariciaba las greñudas crines de Hamish, el centauro de Shetland.

—¡Pienso llevarme mis trofeos! —chilló Von Hellsung, que saltaba de un cañón de chimenea a otro y agitaba desaforadamente el sable de caza mientras avanzaba por el tejado.

—Rupert von Hellsung, por fin nos vemos las caras —espetó una voz suave y cantarina de leve acento extranjero. Lucy Borgia salió de detrás de otra chimenea empuñando un paraguas. La punta de oro brillaba a la luz de la luna.

—¡Cómo te atreves...! —empezó a decir Von Hellsung, atacando a la institutriz con su sable.

Lucy Borgia dio tres pasos atrás, ejecutó una pirueta en el cañón de una chimenea y, con agilidad pero con firmeza, propinó a su contrincante una punzada en el vientre con la punta del paraguas.

Von Hellsung perdió el equilibrio, se tambaleó unos instantes y cayó dentro de la chimenea como un árbol recién talado. En medio de su descenso se oyeron porrazos y colisiones acompañados de alaridos de dolor e indignación. El estruendo fue decayendo poco a poco hasta concluir con un batacazo sordo.

—Según mis cálculos, ha aterrizado en las Termas de Zeus —dijo Kingsley, el deshollinador, echando una mirada experta por el hueco de la chimenea—. ¡Bien hecho, Ada!

La hija de Lord Goth se ruborizó.

—No habría podido hacerlo sin vosotros —aseguró—. Todos vosotros.

Un descomunal personaje con sombrero de capitán y abrigo de lona surgió detrás de ella.

Llevaba en el hombro un albatros. Era el Explorador Polar, que abrió su cofre de madera y, apartando a un lado su pie cercenado*, le entregó a Emily Cabbage los retratos de la Sirena Sesta y las demás criaturas que había hecho la niña.

—Gracias —dijo el monstruo—. Han sido de gran ayuda.

—Sus esculturas de hielo eran realmente preciosas —señaló Emily cogiendo los cuadros—. Cuánto lamento que no hubiese más opción que destruirlas.

—Tendré mucho tiempo para hacer más —observó el Explorador Polar, a la vez que miraba fijamente a Mary Cheli, que se había puesto lívida y no dejaba de temblar—. Después de celebrar una pequeña charla con Mary sobre esta novela de la que asegura ser autora...

El monstruo sostenía un volumen encuadernado en piel en una de sus manazas.

—Agua, agua por doquier, ¡ni una gota que beber! —graznó el albatros.

Pie de Página

*El pie cercenado del Explorador Polar está guardado en su baúl de madera y solo se usa cuando es absolutamente necesario. En este momento, el pie cercenado está utilizando el vasto acervo de su anterior propietario, un eminente historiador, para escribir las notas al pie de una novela gótica.

—Iba a compartir con usted todas las ganancias, querido monstruo —dijo Mary Cheli con afectación—. Lo que pasa es que desconocía su paradero...

Lord Goth se puso de pie con inseguridad y, a través de los tejados, miró hacia donde se encontraban Ada y sus amigos.

Sus ojos se cruzaron con los de su hija y esta vez no se llenaron de tristeza ni se apartaron.

—Mi querida y valiente hija —pronunció, y abrió los brazos.

Ada se abalanzó sobre ellos y Lord Goth la estrechó con fuerza.

—¡Cuánto te pareces a tu hermosa madre! —exclamó—. ¡Valiente, intrépida y distinguida! —Volviéndose hacia las criaturas, añadió con su voz apacible y elegante—: Parece que ha habido un terrible malentendido. No puedo por menos que disculparme. Os ruego que aceptéis mi hospitalidad y que disfrutéis del Palacete Nebroso.

—Será un honor para mis arpías y para mí —respondió la Sirena Sesta.

—Nos encantaría, ¿verdad, Hamish? —añadió el señor Omalos.

El Salvaje de Putney y la Comadre de Barnes miraron a Lord Goth agradecidos. El padre de Ada recogió su caballo de ruedas y habló:

—La cacería de este año ha sido poco habitual. Tendré que discutir lo sucedido con mi guardabosque de interior —resolvió, y luego, mirando a su hija, le brindó una sonrisa—. Pero definitivamente ha sido una cacería de interior memorable.

Los invitados estuvieron de acuerdo.

A lo lejos, un coche de Baviera se llevaba a Rupert von Hellsung tiznado de hollín. Cruzó la verja del Palacete Nebroso y desapareció en la noche.

A la semana siguiente, mientras la radiante luna plateada brillaba sobre la cúpula del Palacete Nebroso, el Club del Desván organizó un picnic de medianoche en el bosque de chimeneas ornamentales.

Ruby, la despensera de exterior, había traído magdalenas de pepino y té helado de fresa, y Arthur Halford les enseñó su arnés de seguridad para trepar por los cañones de chimenea. Kingsley, el deshollinador, se marcó unos pasos de claqué en lo alto de la chimenea más alta, desatando aplausos entusiastas de los asistentes. William se mimetizó con los ladrillos y Emily pintó una acuarela de la luna sobre la cúpula.

—Es mi turno —anunció Ada—. He estado practicando con ayuda de Arthur y Kingsley...

Se ruborizó. Entre dos chimeneas ornamentales había una cuerda suspendida que Arthur se había encargado de reforzar. También había una red de seguridad. Kingsley tendió a Ada una pértiga con un cepillo de chimenea en cada extremo y la ayudó

a subirse a la cuerda floja. La niña llevaba puestas
las zapatillas de funámbula de su madre.

Con sumo cuidado, muy despacio, avanzó
por la cuerda, ayudándose de la pértiga para mantener
el equilibrio.

Se detuvo a mitad de camino entre las dos
chimeneas, y su silueta se recortó contra la radiante
luna. Abajo, en el tejado, el Club del Desván estalló
en vítores. Ada saludó con una elegante reverencia.

Epílogo

Inopinadamente, la idea de Ada había surgido gracias a Mary Cheli. Un editor de Londres había publicado su popular novela *El monstruo, o Prometeo se porta mal*, lo que permitió que la vida y las aventuras del Explorador Polar llegaran a un público amplio y agradecido.

Pese a su leve malentendido, la novelista y el monstruo se habían despedido de forma amistosa, y el Explorador Polar había prometido contarle a Mary Cheli todo sobre su exnovia para una próxima novela.

Ada se despidió de la Sirena Sesta, las arpías, el señor Omalos y Hamish, el centauro de Shetland. Todos regresaron sanos y salvos a sus casas, sin rencores, puesto que Lord Goth había dejado claro

que no sabía nada de las invitaciones de Maltravers.
Instalados en el Ala Oeste y con libertad para circular
por la propiedad durante el resto de su visita, habían
disfrutado de la hospitalidad
del Palacete Nebroso.

En cuanto a Maltravers,
se disculpó por las invitaciones
y le aseguró a Lord Goth que
solo había intentado organizar
una cacería de interior diferente,
pero que ignoraba por completo
las verdaderas intenciones de Von
Hellsung. Alegó que no pretendía
hacer daño a las criaturas y que había
sido una víctima inocente del engaño.

Ada no creyó una palabra, pero
Lord Goth era un hombre tan
honorable y justo que concedió
al guardabosque de interior
el beneficio de la duda.

Ada no se fiaba un pelo
de Maltravers, y, a juzgar

por la mirada que el guardabosque de interior le dirigió cuando, después de una buena bronca, Lord Goth lo echó del despacho con cajas destempladas, supo que el sentimiento era mutuo.

Todo había vuelto a la normalidad, e incluso era mucho mejor. Ada ya no tenía que ponerse las botazas atronadoras y podía ver a su padre siempre que lo deseara.

Lord Goth parecía haber aceptado al fin el trágico accidente de su esposa y trataba de recuperar el tiempo perdido junto a su hija. Y Maltravers pareció dedicarse por completo a sus asuntos.

Pero quedaba por resolver el asunto del fantasma del ratón que se aparecía en la alfombra de Anatolia todas las noches. Si bien el roedor se alegraba mucho por Ada, seguía frustrado por su lamentable condición de espectro.

Hasta que Ada tuvo una idea.

Fue, entusiasmada, al despacho de su padre. Lord Goth estaba montando a *Pegaso* en las afueras del palacete, pero Ada sabía que su intrusión no sería una molestia. Llegó hasta la pared de detrás del escritorio de su padre y se arrodilló junto al rodapié. Allí, roída en la madera, encontró la ratonera de Ismael.

Ada metió la mano por el hueco y tanteó; estaba segura de que sus dedos se toparían con un diminuto fajo de papeles.

Los sacó y los dobló cuidadosamente, los guardó en un sobre y se los llevó a Arthur Halford para que los enviara a Londres en el furgón postal del Villorrio Rendo. La carta iba dirigida al mismo editor que había publicado la novela de Mary Cheli.

Esa noche, al caer el sol, Ada oyó un leve suspiro. Se dio la vuelta y vio a Ismael envuelto en su aureola pálida, sobre la alfombra de Anatolia.

—Gracias, Ada —dijo cuando la niña le contó lo que había hecho—. Ahora ya no hay nada que me retenga. —Subió flotando y salió por la ventana—. Creo que puedo marcharme.

Se volvió para mirar a Ada y sonrió.

—Acuérdate de mí, ¿eh? —le pidió a la niña.

Ada contempló a Ismael mientras se dirigía hacia el atardecer y caminaba hacia la luz.

—¡Lo haré! —prometió.